Maria Carme Boqué Torremorell

CULTURA DE MEDIACIÓN Y CAMBIO SOCIAL

To Carey, with my best wishes for the New Year and the mediation field that we share.

Love,

M. Carme

DIVULGACIÓN

Colección coordinada por Raúl Calvo Soler

El conflicto es un fenómeno que ha preocupado de forma persistente a los seres humanos. Para algunos es un mal inherente a las estructuras sociales; para otros, una oportunidad que permite cambiar y progresar. Pero, ya sea porque se pretenda curarlo como una enfermedad o porque sea presentado como el nacimiento de un mejor proyecto de vida social, todos parecen estar de acuerdo en que la perpetuación de un conflicto resulta costosa.
En los últimos años ha surgido una disciplina nueva cuyo propósito es favorecer la prevención, la gestión y la resolución pacífica de conflictos. Especialmente esta última dimensión ha generado una profunda preocupación en diferentes profesiones. Abogados, psicólogos, sociólogos, entre otros, han intentado encontrar métodos para superar las posiciones irreconciliables, fomentar el diálogo y construir nuevas posibilidades de cooperación.
La colección P.A.R.C. tiene como propósito presentar las teorías y métodos más innovadores de esta joven disciplina de prevención, administración y resolución de conflictos. La colección ha sido diseñada tanto para el público general, al que ofrece la Serie Divulgación, como para los estudiosos y profesionales a los que está destinada la Serie Académica. En ésta, el lector encontrará desde trabajos que versan sobre los fundamentos para el estudio y aplicación de la prevención, administración y resolución de conflictos (Serie Académica/Fundamentos), pasando por los análisis específicos de los métodos de resolución (Serie Académica/Métodos), hasta los análisis vinculados con la aplicación de estos métodos a ámbitos particulares (Serie Académica/Aplicaciones).

SERIE ACADÉMICA / APLICACIONES

GENOVEVA SASTRE Y MONTSERRAT MORENO MARIMON	**Resolución de conflictos y aprendizaje emocional**
SYLVIA M. WARHAM	**Educación primaria y negociación del poder**

SERIE ACADÉMICA / FUNDAMENTOS

REMO F. ENTELMAN	**Teoría del conflicto**

SERIE ACADÉMICA / MÉTODOS

RUBÉN A. CALCATERRA	**Mediación estratégica**
JOAN MULHOLLAND	**El lenguaje de la negociación**
ROBERT H. MNOOKIN, SCOTT R. PEPPET Y ANDREW S. TULUMELLO	**Resolver conflictos y alcanzar acuerdos**

ENCUESTA GEDISA UNIVERSIDAD

Con el cuestionario que tiene en sus manos pretendemos obtener información sobre el nivel de implantación en los medios docentes de los libros de estudio y consulta editados por EDITORIAL GEDISA.
Garantizamos la confidencialidad de la información que le solicitamos y le agradecemos su colaboración, ya que nos permite un mejor conocimiento de sus necesidades docentes y nos facilita la planificación de nuestra producción.

g

DATOS PERSONALES NOMBRE: APELLIDOS:

Catedrático ☐ Asociado ☐ PTU / PTEU ☐

UNIVERSIDAD:

FACULTAD: DEPARTAMENTO:

TELÉFONO: FAX: E-MAIL:

OTROS CENTROS EN LOS QUE COLABORA:

ASIGNATURAS QUE IMPARTE:

	DOCTORADO	OBLIGATORIA	OPTATIVA	ANUAL	CUATRIMESTRE	CURSO	Nº ALUMNOS

CULTURA DE MEDIACIÓN Y CAMBIO SOCIAL

Maria Carme Boqué Torremorell

Diseño de cubierta: Juan Santana

Primera edición: octubre del 2003, Barcelona

Paseo Bonanova, 9 1º-1ª
08022 Barcelona (España)
Tel. 93 253 09 04
Fax 93 253 09 05
correo electrónico: gedisa@gedisa.com
http: //www.gedisa.com

ISBN: 84-7432-417-3
Depósito legal: B. 42139-2003

Impreso por: Romanyà/Valls
Verdaguer, 1 - 08786 Capellades (Barcelona)

Impreso en España
Printed in Spain

Índice

Introducción

Bajo el título *Cultura de mediación y cambio social,* se ocultan muchas de las inquietudes que remueven las aguas de la práctica y la teoría de la mediación. Así pues, presentamos una aproximación controvertida y ciertamente polémica a lo que, lo mismo en entornos profesionales que en el ámbito social circundante, se entiende hoy en día por mediación.

El debate está en la calle. Unas veces se fundamenta en el puro desconocimiento de los procesos de mediación y otras, en el torrente de prácticas discordantes, casi tantas como mediadores existen.

Por otro lado, el cambio social al que aludimos en el título se realiza con o sin la participación de las personas afectadas. La sensación de que nos lleva la corriente y de que cualquier día nos ahogaremos en medio del torbellino sólo se contrarresta cuando nos disponemos a gobernar la balsa, esto es, a participar, a decidir y a tomar responsabilidades para con nosotros, los otros y el mundo que compartimos.

Nuestra defensa de los procesos de mediación se sustenta, pues, en la urgencia de que el cambio social se opere en la fibra humana antes que en el tejido económico imperante. Puede que este enfoque peque de utópico, pero no. Utopía sería proponer lo inalcanzable sin ni siquiera intentar dar una brazada y, en las páginas que siguen, se verá cómo nadar a contracorriente, incluso cuando no nos acerca a la orilla, nos permite conocer mejor el medio en que nos debatimos.

En palabras de Manuel Castells (1998, Vol. 3: 378), la sociedad del conocimiento y la información se caracteriza por una marcada «tendencia a aumentar la desigualdad y la polarización sociales». Mientras unos países todavía luchan por alcanzar sus libertades, en otras latitudes, supuestamente más civilizadas, el desinterés y la pasividad, cuando no la violencia gratuita, burlan a su manera muchos de los logros de la humanidad. Las grietas no sólo son geográficas, sino que en el seno de una misma comunidad encontramos hologramas de cualquier forma de injusticia que podamos imaginar. En tal tesitura, el verdadero nudo gordiano de la convivencia –que no supervivencia– radica en los principios de comprensividad, pluralidad y participación democrática.

La mediación, tal y como creemos que puede y debe desarrollarse, supone un pequeño empujón hacia la anhelada cohesión social,[1] puesto que, al incluir a los distintos participantes en un conflicto, promueve la comprensividad; al aceptar diferentes versiones de la realidad, defiende la pluralidad; y al fomentar la libre toma de decisiones y compromisos, contribuye a la participación democrática. De ello no deducimos que los procesos de mediación, en solitario, vayan a construir el puente social hacia un futuro más humanizado, aunque quizá sí asienten una de las piedras que nos pueden ayudar a cruzar el cauce en ambos sentidos. Jamás debemos menospreciar los riesgos de similar empresa y mucho menos en un momento en que las voces en pro de la segregación en un mundo de buenos y malos[2] se alzan bien

1. En el informe de la Fundación Bertelsmann al Club de Roma titulado *Los límites de la cohesión social. Conflictos y mediación en las sociedades pluralistas*, editado por Galaxia Gutenberg y Círculo de Lectores (Barcelona, 1999), se aborda la cuestión de cómo compaginar la libertad personal con la responsabilidad hacia la comunidad. Autores de doce países diferentes destacan la labor de entidades mediadoras definidas como «esas estructuras para la elaboración de la información y para una comunicación guiada por los valores» (Weidenfeld: 10).

2. Manuel Castells (1998), a quien ya hemos citado, indica sabiamente que la exclusión de los exclusores por parte de los excluidos raramente se realiza de forma pacífica. Por ello, la distinción entre *buenos* y *malos* debe leerse con matices de escepticismo.

claras. Lo decía Emmanuel Mounier (1988: 109): «hay progreso "para el hombre" cuando hay mejora, en el hombre, de ser, de felicidad y de justicia. Pero un progreso indefinido del cual "todos" los hombres de la historia no conociesen los frutos, sería para innumerables generaciones el triunfo de la muerte y de la injusticia».[3]

No se puede pensar en una única respuesta a los retos que plantea la vida en sociedad. El abanico de posibles áreas de exploración se amplía constantemente y, en nuestro caso, se orienta a la búsqueda de conocimientos susceptibles de dirigir a la humanidad hacia un liderazgo democrático, autónomo, solidario, activo y responsable de los procesos de evolución personal y colectiva. En este sentido, la mediación, como estructura de reconocimiento y revalorización de las personas, contribuye al fortalecimiento de quien participa en ella (Bush y Folger, 1996; Sarrado y Riera, 2000). Es así como las actitudes y aptitudes mediadoras pueden contribuir a crear una red de relaciones interpersonales libres y vinculantes a la vez, sin que ello suponga contradicción alguna.

Aunque una aproximación simplista a la mediación aplicada a los diferentes ámbitos –comunitario, penal, familiar, laboral, escolar, internacional– lleve a confundirla con una vía secundaria de conducción de conflictos, siendo la arteria principal la vía legal, una reflexión más detallada nos muestra los innumerables valores comprendidos en el proceso de mediación. En el párrafo anterior, hemos aludido a las *actitudes* implícitas en la mediación y, ahora, mencionamos sus *valores*. Como se ve, nuestro punto de mira enfoca en primer plano algo intangible, cuyo precio en el mercado económico global desconocemos. No lanzamos la mediación como aquel producto bueno, bonito y barato que aligera a los tribunales del amontonamiento de casos pendientes prometiendo, a su vez, una solución a los conflictos rápida y a la medida del consumidor ¡y todo a un módico precio! Si así lo hiciésemos, habríamos encontrado, a lo sumo, una fórmula para metamorfosear la forma pero no el fondo de nuestras so-

3. Texto traducido al castellano a partir de: Mounier, E. (1968). *La petita por del segle XX*. Barcelona, Edicions 62.

ciedades litigantes, o lo que es lo mismo, una manera de cambiar para seguir igual.

Debe quedar bien sentado desde un principio que la acción de la mediación es triple: primero, se trata de una práctica frente al conflicto en la que aquello que predicamos es también lo que hacemos, no caben duplicidades, ya que nos comprometemos libremente; en segundo lugar, la mediación no se halla sujeta a preconcepciones, o sea, que permite y facilita la innovación axiológica y la responsabilidad ética; finalmente, toma el hecho de vivir y convivir en paz como objetivo teleológico de nuestras comunidades, superando las intervenciones paliativas dirigidas únicamente a mantener el orden social (Boqué, 2002b).

Considerando que la presencia natural e inevitable de conflictos en nuestro entorno suele generar profundo malestar, zarandea nuestro modo de vida habitual y crea sensación de impotencia y fracaso, aprender a transformar los conflictos en oportunidades debería constituir una aportación realmente valiosa, especialmente cuando conlleva la superación de visiones catastrofistas y deterministas, las cuales, con demasiada frecuencia, justifican tanto la inacción como el abuso de poder. No sería mala idea, pues, diseñar y ofertar estructuras de mediación que incidan en las capacidades de cada persona y comunidad para superar diferencias, acercar extremos y, en definitiva, buscar alternativas a la cultura de confrontación en que nos encontramos inmersos planteando, con más fuerza si cabe, una relectura de las relaciones interpersonales desde un lenguaje de diálogo, paz y consenso.

Como ya hemos indicado, hablar de *cultura de mediación* significa mantener una visión amplia de los procesos mediadores que, frecuentemente, han sido reducidos a una simple técnica de gestión o resolución de conflictos. Uno de los principales escollos con que nos enfrentamos a la hora de ahondar en nuestro estudio consiste en la enorme dispersión teórica que caracteriza el vasto ámbito de la mediación: indefinición conceptual, improvisación ideológica, confusión terminológica y mezcla incongruente de procedimientos; situación que se explica, por un lado, debido a las raíces que podríamos calificar de *populares* de los procesos de mediación, y por el otro, por la apropiación multidisciplinar de este fenómeno. Generalización práctica y teórica a la par refuerzan, bajo nuestro punto de vista, la concepción cultural de la mediación. Aunque también nos abren los ojos ante una práctica mucho más compleja de lo que a simple vista aparenta.

1

Los orígenes de la mediación

La mediación, en tanto que recurso para afrontar las situaciones conflictivas que la vida en común conlleva, no tiene edad. Como atestigua Six (1990: 11), «la mediación ha existido siempre. Siempre ha habido, en las tribus o poblados, sabios a quienes se recurría con toda naturalidad, quienes aportaban sosiego a los diferentes, unos seres que eran cimiento de fraternidad». Así pues, la figura del mediador[1] se asocia con aquella persona razonable, amante de la paz y la justicia, dialogante y empática, poseedora de un sentido común relacional que la faculta para participar en conflictos ajenos sobre los que ejerce un influjo reestructurante. Este perfil consuetudinario no acostumbra a encajar con cualquier persona de la comunidad, sino que se vincula a posiciones de autoridad natural y reconocimiento social, es decir, de prestigio.

En la *Encyclopedia of Conflict Resolution*, Burgess y Burgess (1997) informan del uso de la mediación en China, donde se remonta a más de dos mil años de antigüedad.[2] Desde aquí, los mis-

1. Obviamente, en todo el texto el término *mediador* es, también, referente de *mediadora*.

2. Sin embargo, Catherine Perelló (1998: 67) indica que «la mediación documentada más antigua que se conserva es de hace cuatro mil años en Mesopotamia, cuando un gobernador sumerio pudo evitar una guerra por el litigio de unos territorios».

mos autores siguen las trazas de la mediación a través de diversas tradiciones culturales y espirituales del mundo: la Iglesia católica, los tribunales rabínicos judíos, las corrientes filosóficas de China y Japón, África, Melanesia, América Latina y América del Norte.[3] No obstante, Burton y Dukes (1990: 26) defienden que «a pesar del interés demostrado por los antropólogos en los mecanismos mediante los cuales otras culturas mantienen el orden y tratan disputas y conflictos, éstos existen, o existían independientemente de la evolución de la principal corriente actual». Bajo esta lógica, deberemos buscar los orígenes de los procesos de mediación, tal y como los entendemos hoy en día, en otra dirección.

Por lo visto, las formas consensuales de regulación de conflictos se abandonan a medida que aumentan la complejidad del tejido social, las interacciones comerciales y las comunicaciones. Hacia el siglo XVII, se produce un desarrollo en el ámbito legal que ocasiona la conquista progresiva, por parte de los sistemas de confrontación social, del espacio que ha otorgado a la cultura del litigio el lugar preeminente que, sin lugar a dudas, ocupa hoy en día. Dentro de este encuadre, ¿cuáles han sido las iniciativas que han propiciado el resurgimiento actual de los procesos mediadores? Aparentemente, la primera institución de reconocido espíritu mediador de nuestros días –en la tradición occidental– es el Federal Mediation and Conciliation Service (FMCS), fundado en 1947 sobre la base del US Conciliation Service (1913). El FMCS nació con el ánimo de regular por vías pacíficas conflictos laborales entre patronos y obreros, evitando, de paso, perjuicios a la empresa (Burgess y Burgess, 1997; Burton y Dukes, 1990; Moore, 1995; Touzard, 1981).

Sin embargo, está claro que las voces más decididas en pro de la mediación no se levantan hasta finales de los años sesenta y principios de los setenta del siglo XX, engendradas en entornos pacifistas y propiciadas por el creciente interés por el estudio del conflicto. Durante esta década, la inquietud social frente a la carrera armamentística –y la consiguiente evolución del concepto de violencia– se extiende a aquellos ámbitos en donde las cotas

3. Para profundizar en esta línea, ver: Burton y Dukes, 1990; Kolb, 1983; y Moore, 1995.

de autoridad despersonalizan y burocratizan los derechos y libertades de las personas. En semejante coyuntura, palabras como *derrota* o *victoria* se tiñen de una fuerte carga negativa, mientras que la mediación, proceso sin vencedores ni vencidos, abre la puerta a la participación ciudadana y a las formas no adversariales de conducción de conflictos. Compartimos plenamente el punto de vista de C. M. Moore (1997: 265-266) cuando expone que «la mediación se está volviendo cada vez más popular como medio para la resolución de disputas porque las personas estiman que es el camino preferible que puede llevarnos a vivir en mejores comunidades».

La mediación prolifera sin cesar en el área de influencia anglosajona, donde los servicios de mediación abundan en la mayoría de ámbitos de realización humana: comunitario, laboral, familiar, escolar, penal e internacional, entre las ramas más desarrolladas. Desde aquí se expande al norte hacia Canadá y al sur hacia Latinoamérica;[4] luego se exporta a Europa. En el territorio del Estado español, concretamente, las primeras asociaciones de mediación emergen hacia finales de los ochenta y principios de los noventa del siglo XX. En Cataluña, la Ley Orgánica 4/92, de 5 de junio, reguladora de la competencia y procedimiento de los juzgados de menores, proporciona el primer marco legal a las prácticas de mediación en el ámbito penal juvenil (Funes, 1994; Gimeno, 1998). Este somero recorrido geográfico fuera del territorio norteamericano revela que la vanguardia de la mediación la constituyen, inicialmente, centros de formación e investigación y a continuación se crean los primeros servicios de mediación públicos y privados. Se observa, pues, una clara diferencia entre los orígenes de la mediación en Estados Unidos, donde el motor de arranque son los movimientos ciudadanos, y la mediación en Europa que, surgida en ámbitos académico-profesionales, se traslada posteriormente al universo social gracias al apoyo de instituciones y entidades diversas.

A pesar de este flujo inverso, las perspectivas apuntan ineluctablemente hacia la expansión de la mediación a escenarios has-

4. Marinés Suares (1997: 47-50) se ocupa de explicar con más detalle la presencia de la mediación en Latinoamérica.

ta hoy inéditos, así como al nacimiento de una nueva profesión. Desde luego, no todo el mundo celebra una propagación, quizá indiscriminada, que podría desvirtuar la esencia misma de la mediación. En este sentido, Six (1997: 21) remarca que «la mediación apareció como una planta milagrosa, a la manera de panacea universal y, desde entonces, se tomó como producto de futuro; todo el mundo se precipitó sobre ella, queriendo apropiársela y cultivarla a su manera». El ímpetu con que diversos sectores se arrojan sobre la mediación induce a creer, ciertamente, en una mediación *fast food* destinada a saciar rápida y económicamente todas las necesidades. La controversia está servida.

2

Revisión del concepto de mediación

Intuitivamente se considera a la mediación como una fórmula amistosa y razonable que permite desarrollar las situaciones de conflicto apoyándose en la buena fe de las personas. Popularmente, en la mayoría de comunidades se conoce y reconoce a aquellos miembros capaces de interceder con su sola palabra, siempre bajo demanda explícita y espontánea de los interesados, en el logro de un desenlace feliz a las confrontaciones que surgen en el quehacer cotidiano.

Como hemos visto, la mediación no es una nueva invención. De hecho, Deborah Kolb (1983: 1) titula el capítulo inicial de su libro dedicado a los mediadores «La segunda profesión más vieja del mundo»[1] y señala que, desde el primer instante en que alguien mantuvo una disputa con su semejante, surgieron los mediadores para aconsejar el uso de la razón por encima de las armas. A decir verdad, tiene más sentido referirse a la mediación como a «un renovado constructo» (Sarrado, 1998), ya que remontándose al pasado renace de forma completamente nueva.

El redescubrimiento de esta fórmula que se expande velozmente reclama de manera imperiosa un marco conceptual sólido; necesidad reiteradamente señalada por investigadores y prác-

1. En inglés, «The second oldest profession».

ticos que se estremecen al constatar los mil y un usos borrosos de la palabra *mediación*. Jean-François Six (1990: 143), por ejemplo, afirma que este vocablo se ha convertido en una palabra *fourre-tout*, lo que en castellano podríamos traducir por *palabra paraguas* o, simplemente, *desván*. Por si fuera poco, Bellman (1998: 206) nos colma de inquietud poniendo en evidencia que, en relación con la mediación, hoy por hoy, «no existe consenso sobre objetivos y valores, menos aún respecto a un proceso normativo regulador. Un punto emblemático en esta situación es el hecho de que ni siquiera compartimos una definición de "mediación". ¡Qué ironía que una comunidad y por descontado un movimiento que tanto se sustenta en el lenguaje tenga pendiente tal cuestión!».

Dirimir qué es o no es la mediación ha originado, hasta ahora, más controversias que puntos de acuerdo. Las diferentes conceptualizaciones se ven seriamente cuestionadas por buenas –y no tan buenas– prácticas que ponen en entredicho incluso aquellos aspectos tenidos por esenciales. Compartimos con Folger y Jones (1997: 16) la sensación de que «hay muchos interrogantes fundamentales sobre "qué es" la mediación y en qué se convierte cuando se la emplea en los nuevos contextos sociales y la practica una amplia gama de personas con diversos antecedentes y entrenamiento».

Efectivamente, la mediación ha sido desde sus inicios un movimiento polifacético, variado y pluralista. Según Bush y Folger (1996), cabría narrar la mediación y sus objetivos de cuatro formas diferentes: 1) Historia de la satisfacción; 2) Historia de la justicia social; 3) Historia de la opresión; y 4) Historia de la transformación. La *historia de la satisfacción* subraya la urgencia de resolver las necesidades humanas evitando, al mismo tiempo, los costos económicos, emocionales y de tiempo usualmente aparejados a los conflictos. Bajo esta óptica, los objetivos del proceso mediador quedan claramente expresados por el binomio *ganar-ganar*. La *historia de la justicia social*, por el contrario, fundamenta el uso de la mediación en la autodeterminación y la independencia de los ciudadanos con derecho a erigirse en protagonistas de sus propios conflictos, evitando la explotación y robusteciendo, asimismo, a la comunidad. La *historia de la opresión*, a su vez, informa de las posibles perversiones del proceso mediador, a saber: desequilibrio de poder, privatización de los problemas, manipulación encubierta y explotación de los más débiles. Finalmente, la *historia de la transformación* representa la promesa de evolución y crecimiento del individuo y de la sociedad en general, en base a la revalorización y reconocimiento de las personas (*empowerment*).

Tratar de definir la mediación no es, en modo alguno, una pretensión trivial; implica entrar en un discurso teórico complejo, en tanto en cuanto proviene de ámbitos disciplinarios discordantes y se ve engrosado por un cúmulo de prácticas, si cabe, aún más inconexas. Afrontaremos esta empresa a partir de las unidades conceptuales a las que comúnmente se recurre en las definiciones de mediación, con el agravante de que en los textos sobre mediación no siempre figura una definición explícita de este fenómeno o, cuando damos con ella, quizá se trate de una de tantas formulaciones reiterativas y poco elaboradas en las que con cierta ligereza se alude a resolución de conflictos, neutralidad y acuerdo. Si bien podemos reconocer corrientes de mediación con planteamientos absolutamente diferenciados, resulta sorprendente percatarse de las concomitancias a la hora de plasmar sus respectivas formulaciones del concepto de mediación. Eso es así porque la permeabilidad entre teóricos no es poca y, en la práctica, cada mediador trata de sustentarse en la mezcla de asunciones que mejor concuerdan con la propia formación académica, valores, ámbito de trabajo, experiencia, contexto, etc. Resulta igualmente exacto afirmar que las características más destacables de cada escuela son generalmente aceptadas por la mayoría de practicantes y que, por lo tanto, sería difícil topar con mediaciones en *estado puro*. Bellman (1998: 209), con cierto talante humorístico, declara que se trata de jazz: «hay unas pocas ortodoxias y mucha invención conjunta ad hoc».

Seguidamente, nos adentraremos en aquellos elementos esenciales que configuran la mediación, a la vez que la distinguen de otras prácticas, para intentar orquestar sus fundamentos. Comenzaremos con la *Enyclopedia of Conflict Resolution*, donde se lee que la mediación constituye «uno de los principales métodos de resolución alternativa de disputas (ADR). Implica la intervención de una tercera parte neutral mediadora en el proceso de negociación» (Burguess y Burguess, 1994: 178). De forma análoga, Horowitz (1998: 38) apunta que la mediación es «un proceso informal en que un tercero neutral sin poder para imponer una resolución ayuda a las partes en disputa a alcanzar un arreglo mutuamente aceptable». Bodine, Crawford y Schrumpf (1994: 171) puntualizan que el mediador «ayuda a los disputantes a resolver sus conflictos pacíficamente».

Tales consideraciones ponen sobre la mesa los siguientes elementos que, posteriormente, someteremos a examen:

- la mediación como método alternativo
- de resolución de disputas
- en presencia de una tercera parte (mediador)
- neutral
- sin poder
- en un proceso informal
- de negociación
- con el objetivo de llegar a un acuerdo
- pacíficamente

A la búsqueda de nuevos matices, encontramos que Six (1990: 231, 165), por ejemplo, conjetura que la mediación «es a la vez una técnica y un arte» consistente en una «acción realizada por un tercero, entre personas o grupos que consienten y participan libremente, y a quienes pertenecerá la decisión final, destinada bien sea a hacer nacer o renacer entre ellos nuevas relaciones, bien sea a prevenir o curar entre ellos relaciones perturbadas».

Ahora, añadimos a los puntos anteriormente destacados:

- la mediación como técnica y arte
- que requiere el libre consentimiento de los participantes
- a quienes pertenece la decisión final
- para prevenir o curar

En la concepción de Bush y Folger (1996: 21), el proceso de mediación «tiene un potencial específico de transformación de las personas –lo cual promueve el crecimiento moral– al ayudarlos a lidiar con las circunstancias difíciles y a salvar las diferencias humanas en medio del mismo conflicto. Esta posibilidad de transformación se origina en la capacidad de la mediación para generar dos efectos importantes: la revalorización y el reconocimiento». También Adam Curle (1995: 81), desde el ámbito internacional, habla de un proceso que «a la vez que contribuye al acuerdo político, cura las heridas del odio y empieza el proceso de transformar la enemistad en hermandad».

En esta ocasión, los autores ponen el acento en los siguientes componentes:

- la mediación como transformación
- que promueve el crecimiento moral
- generadora de revalorización y reconocimiento

Para terminar, el ingrediente indudablemente comunicacional de los procesos mediadores, cualquiera que sea la forma de entenderlos, ha propiciado que diferentes teóricos definan la mediación desde el campo de la comunicación humana. En esta línea, Diez y Tapia (1999: 29) dicen, simplemente, que «la mediación es comunicación»; y Giró (1998: 23) lo recalca aseverando que la mediación «no tiene otra finalidad que la comunicación». De forma análoga, Suares (1997: 95) estima que «la mediación surge para conducir problemas de comunicación y esta conducción se resuelve "en" la comunicación». Para Cobb (1997a: 83), promotora del modelo circular narrativo, la mediación «constituye un proceso de narración».

Los postreros elementos que rescataremos para el ulterior análisis son:

- la mediación como comunicación
- basada en un proceso de narración

Con el objetivo de completar nuestro estudio conceptual, agregaremos a modo de apéndice un apartado donde reseñar aplicaciones, ventajas, errores y malentendidos acerca de la mediación.

Consideramos, pues, llegado el momento de profundizar en el debate y entrar en la controversia. Tal vez así evitaremos, con más o menos éxito, instalarnos en la pura reiteración verbal sin llegar jamás a explorar el verdadero sentido de la mediación.

2.1. La mediación, ¿una alternativa?

Referirse a la mediación como simple alternativa presupone, de buen principio, la existencia de unas vías principales a la hora de afrontar los conflictos. Los recursos por excelencia –nos referimos tan sólo a los socialmente aceptados– no son otros que los que auspicia el sistema legal vigente. Abundando en la idea, Martínez de Murguía (1999: 57) señala que tildamos «a la mediación y a las demás técnicas de resolución de conflictos como técnicas "alternativas" porque en su origen se desarrollan al margen de los procesos formales de impartición de justicia».

Si la función de la mediación consiste en rebajar los costos económicos y de tiempo de los tribunales, lograr que las personas obtengan un nivel más alto de satisfacción en los resultados o tal vez asegurar el efectivo cumplimiento de los acuerdos, parece más bien cuestión de *marketing* que no un intento real de afinar el concepto de mediación. Mediación y justicia se ocupan de funciones claramente diferenciadas (Giró, 1997, 1998), de lo que se deduce que la mediación supone, en realidad, una vía original y paralela, con una oferta propia. La mediación no está centrada en el mantenimiento de un sistema social determinado, sino que estimula las capacidades de innovación del individuo y su comunidad; está destinada a cohesionar nuestras sociedades plurales antes que a segregar personas o extirpar contundentemente conductas identificadas como dañinas; evita el uso de forma alguna de violencia, incluso de la jurídicamente administrada, para avanzar en el conflicto; además, no tiene por qué inmiscuirse en la regulación de los derechos fundamentales de las personas; ¡bastantes luchas ha costado el reconocerlos!

Cuando Entelman (2002) distingue entre *conflictos permitidos* y *no permitidos*, pone el dedo en la llaga de lo que el mismo autor enuncia como la *comprensión del fenómeno social del conflic-*

to. Lo cierto es que, a pesar de los exhaustivos listados de conductas reguladas –prohibidas y obligatorias– tan propios de las sociedades supuestamente civilizadas, fuera de catálogo se ubican la mayoría de conflictos que salpican las vidas de los seres humanos. Se trata, como es obvio, de conflictos legítimos en tanto que tolerados e ignorados por los sistemas jurídicos. Precisamente porque esto es así, resulta cada vez más difícil imaginar un entorno social complejo que no se plantee la necesidad de dar un tratamiento abierto, personalizado, creativo, cooperativo y constructivo a la conflictividad natural que conlleva el hecho de vivir en sociedad. Derivar cualquier tipo de conflicto hacia la administración externa de sanciones equivaldría a estandarizar las relaciones humanas y a regularlas en exceso limitando, a todas luces, el ejercicio de las propias libertades. En este sentido, Bazán (1996: 77) pone de relieve que el sistema de mediación «ubicado inicialmente como sistema alternativo, aparece en la actualidad como complementario de las formas tradicionales de resolver conflictos [...] es, en realidad, un proceso sumamente rico que pone en evidencia el movimiento de las instituciones sociales en la profundización del sistema democrático».

Vista, pues, como proceso de interrelación y cooperación entre las personas, la mediación puede convertirse en un conducto indispensable para la existencia de comunidades humanas basadas en la práctica efectiva de valores de convivencia. Carece de lógica calificar de *alternativa* aquello que es del todo primordial. En líneas generales, «el no poder ver a la negociación y a la mediación como los caminos principales en la conducción de disputas nos aleja del protagonismo de las partes para conducirlas, y por lo tanto de la responsabilidad por los acuerdos a los que arriban; nos aleja de la creatividad y los devalúa al considerarlos caminos alternativos, y no principales» (Suares, 1997: 89).

Sin embargo, algunos intentos de compaginar mediación y sistema judicial han llevado a subordinar la primera al segundo. Este sería el caso de aquellos países en los que la mediación funciona a la sombra del sistema judicial, siendo incluso prescriptiva en determinados supuestos. Cuando los procesos de mediación se dan única y exclusivamente articulados en forma de escalones previos al arbitraje y al juicio, tienen altas probabilidades de asemejarse a mecanismos disuasorios de una más que posible entrada en litigio. Como iremos viendo, lo que nos ofrece la mediación es algo mucho más sustancioso. No abogamos por volver a formas supuestamente tribales de organización comunitaria, ni tampoco renunciamos a los aportes del sistema jurídico como vía de regulación social. En definitiva, creemos que suscribir una excesiva judicialización no supondría un triunfo para la humanidad, sino un paso atrás. Nos consta que la frontera entre los derechos individuales y grupales es sutil; con todo, debemos preservar circunstancias de la vida no prescritas, ni robotizadas. Por pura ecología humana.

En cualquier caso, el dilema que se plantea ahora es el de instituir la mediación o bien dejarla nacer, crecer y desarrollarse marginalmente y, si sobrevive, quién sabe si adoptarla poniéndola al alcance de todos. Sea como sea, nuestra propuesta clara y contundente apunta a erradicar el calificativo de *alternativa* que, como es fácil de comprobar, acompaña no pocas definiciones de mediación.

2.2. La mediación, ¿un método de resolución de conflictos?

El campo de la resolución de disputas o conflictos parece querer abarcar cualquier forma no coercitiva de intervención en situaciones de conflicto. Vinyamata (1999: 144) indica que, en verdad, *resolución de conflictos*[2] *y resolución de disputas* se utilizan indistintamente, y añade que «lo que se reconoce internacionalmente como "resolución de conflictos" designa una corriente innovadora de pensamiento y de aplicación del mismo que aspira a comprender e intervenir positivamente en la resolución de los conflictos de una manera pacífica y no violenta». Desde este ángulo, la mediación se conforma como una técnica, probablemente la más privilegiada, de lo que en el ámbito anglosajón se denomina *Alternative Dispute Resolution* (ADR). Así lo muestran

2. Otro autor, Six (1990), atribuye el origen de esta expresión a Kurt Lewin, quien en 1948 publicó en Nueva York una obra titulada *Resolving Social Conflicts*.

aseveraciones del tipo: «la mediación es la llave inglesa de la caja de herramientas de la solución de disputas» (Acland, 1993: 18).

El término *resolución de conflictos* induce a creer que de lo que se trata es de eliminar los conflictos. Seguramente no sea tal la pretensión de quienes utilizan esta terminología de manera genérica, aunque probablemente sí se identifiquen con un modo de proceder dirigido a establecer los puntos de similitud entre las personas para, luego, potenciarlos y llegar a un acuerdo que restablezca la armonía. Six (1990: 158) repara en el hecho de que «hay en el fondo de la definición de mediación entendida como "resolución de conflictos" una visión muy maniquea de lucha entre el Bien y el Mal, una búsqueda dirigida a suprimir de forma radical el conflicto como si fuera el Mal, aquello que impide a los seres y sociedades existir verdaderamente en concordia».

Una orientación completamente distinta es la que se fundamenta en la lógica de nuestra diversidad. Las diferencias naturales entre las personas no son rigurosamente generadoras de conflictos destructivos, aunque sí creativos. Aprovechar la riqueza que cada persona aporta favorece la innovación social y promueve el buen entendimiento. Autores como Ury (2000: 127) dejan bien claro que «en las sociedades organizadas verticalmente, por lo general, prevenir un conflicto supone suprimirlo. En cambio, en las sociedades organizadas horizontalmente la supresión no es factible ni deseable». Tal y como comenta Úcar (1999) con relación al denominado *Informe Pérez de Cuéllar*,[3] la diversidad intercepta la homogeneización global posibilitando y estimulando la innovación y la experimentación cultural. Aquí la mediación sería el punto de encuentro en el que se plantea un futuro en común antes que una división, si se quiere amistosa, de lo que hay en juego. En una concepción amplia, como lo es la del informe que la Fundación Bertelsman ha realizado para el Club de Roma (Berger, 1999), el estudio de mecanismos que favorezcan la convivencia pacífica en las sociedades plurales conduce a la conclusión de que «es necesaria la mediación para permitir

3. Nos referimos a la obra elaborada por varios autores, publicada en 1997 bajo el título *La nostra diversitat creativa.* Informe de la Comissió Mundial sobre Cultura i Desenvolupament presidida per Javier Pérez de Cuéllar. Barcelona: Centre Unesco de Catalunya.

que coexistan posturas normativas diversas y se mantengan sistemas de valores diferentes sin consecuencias hostiles para las posturas de los demás, tan legítimas y dignas de respeto como las nuestras» (Weidenfeld, 1999).

De nuevo, hablar de *método* induce a creer que la mediación es una herramienta o una técnica aplicable a relaciones interpersonales perturbadas y a problemas más o menos complejos cuando, en realidad, «en la mediación se combina una actitud cultural con un manejo de técnicas. Esta imbricación de cultura y técnica es la clave de la mediación y permite que no quede reducida a ser un oficio de mediadores» (Gutiérrez, 1998: 2). En un trabajo editado mediante soporte electrónico,[4] Suares explica cómo y por qué ha adoptado la expresión *mediando*: «considero a la mediación como un proceso, y el no utilizar el gerundio, puede llevar a que "cosifiquemos" y busquemos "recetas" para realizar bien la mediación y nos olvidemos de esta esencia de "proceso", es decir, de algo que se va construyendo en el tiempo». Mucho más contundente, Corbo (1999: 147) asegura que la mediación «no es una forma de resolver conflictos, como se repite abundantemente; es una forma de gestión de la vida social y, por lo tanto, es una transformación cultural».

En este apartado, la disyuntiva inicialmente planteada trata de dilucidar si la mediación constituye, o no, un método de resolución de conflictos. Aun pasando por alto la distinción que Burton (1990) establece entre *conflicto* y *disputa* o entre *settlement* y *resolution*, no podemos evitar referirnos al amplio debate que envuelve el término *resolución de conflictos* y las nomenclaturas concurrentes, entre las cuales *gestión* y *transformación* de conflictos sobresalen en una lista interminable: solución, tratamiento, administración, regulación, conducción, manejo, afrontamiento, prevención, provención, anticipación, previsión... que, si bien no son sinónimos, se utilizan bastante anárquicamente. La más extendida de estas denominaciones *–resolución de conflictos–* representa el paraguas bajo el cual se cobijan todas aquellas prácticas extrajudiciales de intervención no violenta en los

4. Nos referimos a la página electrónica del Fórum Mundial de Mediación.

conflictos.[5] La *gestión de conflictos*,[6] concepción netamente occidental, rehuye la innegable connotación de supresión de conflictos que, inevitablemente, se acopla al vocablo *resolución*. En cambio, tal vez sugiere una administración estratégica que busca canalizar, dominar o controlar los conflictos gracias a la predictibilidad de su dinámica. Finalmente, la acepción *transformación de conflictos*[7] supone una concepción holística que no intenta erradicar ni dirigir los conflictos, pero sí que deja huella en su decurso. La transformación de conflictos se centra en la interdependencia entre las personas que los viven e incide en el proceso conflictivo fortaleciendo a los participantes y generando aprendizaje.[8] Se ampara en una visión notoriamente constructiva de las oportunidades concurrentes en cualquier situación conflictiva y, a la vez, esperanzada con respecto a las capacidades de los seres humanos para liderar responsablemente su existencia. Particularmente, consideramos que el trasfondo teórico de la transformación de conflictos es el que con mayor precisión se ajusta a la labor que desempeñan o idealmente debieran desempeñar los mediadores que rehuyen actuar de meros ejecutores del proceso.

5. Un autor que ha defendido esta denominación por encima de otras es Eduard Vinyamata, tal y como lo ponen de manifiesto sus diversas publicaciones. Asimismo, adopta el término *conflictología* entendido como «ciencia adisciplinaria y transversal del Conflicto, el Cambio, la Crisis... Sinónimo de Resolución de Conflictos y de Transformación de Conflictos como sistemas integrales e integradores de conocimientos, técnicas y habilidades orientadas al conocimiento de los conflictos, sus posibles causas y maneras de facilitar su solución pacífica y no violenta» (Vinyamata, 2001: 129).

6. En esta ocasión es Vicenç Fisas (1998) quien ha publicado un libro titulado *Cultura de paz y gestión de conflictos*. Igualmente Marta Burguet (1999) titula su obra *El educador como gestor de conflictos*.

7. Concepto atribuido a Bush y Folger (1996) que implica un modelo propio de mediación, el cual concuerda, por ejemplo, con la óptica del entorno menonita. Larry Dunn, uno de los autores de la obra editada por Stutzman y Schrock-Shenk (1995), declara: «creo que transformación es un término significativo y preciso para describir el trabajo del MCS». Las siglas MCS remiten al Mennonite Conciliation Service, ubicado en Akron, PA, y fundado en 1978 con la misión de asistir a personas y grupos a la hora de poner remedio a los conflictos del hogar, la iglesia, la comunidad y el conjunto de la sociedad. Las raíces del movimiento pacificador menonita se remontan a más de cuatrocientos años, tradición que iniciaron los líderes de la iglesia anabaptista hacia el siglo XVI.

8. Para profundizar en esta línea, ver los diversos artículos de John Paul Lederach incluidos en el ya citado manual de Stutzman y Schrock-Shenk (1995). También en la misma publicación, resulta ilustrativo el artículo de Joseph J. Fahey.

2.3. La mediación, ¿la presencia de un tercero?

Las palabras *tercero* o *tercera parte* son los eufemismos con que usualmente se hace referencia al mediador. El mediador es la persona, personas, incluso instituciones, que asumen la función de puente, enlace o catalizador en los procesos de mediación. Pruitt (1981: 203) nos proporciona una visión instrumental de esta tercera parte que, bajo el criterio del citado autor, ejerce de barrera de contención entre las otras dos; el sólo hecho de «tener una tercera parte entre ellas alienta a las personas a comportarse de la mejor manera. Muestras de hostilidad, ataques personales y tácticas sucias probablemente se reduzcan a un mínimo porque estarían mal vistas por alguien de fuera». Naturalmente, el hecho de considerar al mediador como *tercera parte* presupone y condiciona la existencia de dos partes más y la dualidad frecuentemente deriva en adversariedad impidiendo, o al menos dificultando, el avance hacia una visión compartida de la situación. Por ello, Galtung (1995: 368) manifiesta reiteradamente que «no debería utilizarse la expresión "tercera parte". No hay nada de malo en ser una tercera parte. Pero en el momento en que decimos "tercero", nos vemos casi forzados a concebir el conflicto en términos de dos partes». Probablemente, sería más afortunado hablar de *outsider*, es decir, de persona independiente, externa. Encontramos esta acepción en Díaz y Liatard Dulac (1998: 11) cuando definen la mediación como aquel «proceso que permite, en un conflicto, la intervención de personas externas y formadas, para superar el uso de la fuerza y encontrar una solución sin perdedor ni ganador».

Identificar al mediador como a alguien *de fuera* entraña el inconveniente, que a nadie se le escapa, de presumir que esta figura no se halla en absoluto comprometida con la situación en la cual interviene. Últimamente, el empleo de la mediación en sociedades de signo menos individualista que la norteamericana o la europea muestra cómo la confianza puede verse depositada con mayor facilidad en una persona respetada por la colectividad antes que en un desconocido, reconociendo, a la vez, el indiscutible componente cultural de la mediación (Edmons, 1995; Le Baron, 1995; Lederach, 1995; Stutzman, 1995).[9]

Una aproximación completamente diferente es la que opta por reconceptualizar el término *tercero* otorgándole una nueva dimensión que, superando toda dualidad, revela la posibilidad de avanzar conjuntamente y de triangular la relación comunicacional. Cobb (1997a: 97) explica la intervención de un tercero «precisamente porque éste puede modificar las posiciones discursivas de las personas y, en el proceso, generar una nueva pauta de interacción, una nueva interdependencia». Asimismo, Giró (1998: 26) considera que «la mediación sólo trabaja sobre la dimensión del reconocimiento de un tercer espacio común a las partes». La estructura ternaria supone abertura, ya que «el tercero rompe la dualidad en la que se hallan encerrados dos seres; tanto más les significa que existen, que es para ellos un punto de referencia común» (Six, 1990: 165). Riera y Sarrado (2000) denominan este nuevo espacio relacional como *triangulación dialógica* o *comunicación ternaria*, términos próximos a *triangular thinking* (De Bono, 1985, 1992, 1998) que recalan en la presencia del mediador como requisito fundamental para que el conflicto no siga apareciendo unidimensionado para las partes. Cambiar las pautas de comunicación argumentativa –centradas en descubrir quién tiene razón y quién se equivoca– por el pensamiento lateral –que posibilita el diseño creativo de opciones– exige un trabajo en equipo capaz de convertir «una lucha bidimensional en una exploración tridimensional enfocada hacia el diseño de una salida» (De Bono, 1985: 124).

En conclusión, no se trata tanto de referirse, o no, a una tercera parte como de representar la mediación como una situación ternaria que no parcela el conflicto ni reproduce dualidades, creada y sostenida con el esfuerzo y la contribución de los participantes en el proceso. Una situación, en definitiva, abierta por el mediador quien, al configurar una tríada, cambia radicalmente las relaciones existentes en el grupo diádico que «se tor-

9. Por el hecho de tratarse de artículos muy breves, aunque de gran interés, los hemos referenciado conjuntamente en relación a la obra que los recopila: Stutzman, J. y Schrock-Shenk, C. (comps.) (1995), pp. 78-92.

nan más complejas y exigen de sus protagonistas otros análisis y otras actitudes» (Entelman, 2002: 149).

2.4. La mediación, ¿una actividad neutral?

Sin duda, el aspecto más polémico de la mediación radica en su carácter neutral, bien se refiera al proceso, bien al mediador. Ríos de tinta analizando los pros y contras nos advierten de que el concepto de neutralidad, en lo que a la mediación respecta, no puede pasarse por alto. Tampoco se puede obviar que, a expensas de las muchas disquisiciones, la mayoría de autores incorporan este término en sus definiciones y, de manera análoga, también lo hacen asociaciones de mediación de todo el mundo.

El hecho de propugnar o impugnar la neutralidad del proceso y del mediador evita, en ocasiones, una reflexión que conlleva advertir la complejidad de un proceso que no resulta nada fácil de conducir. De entrada, conmina al mediador a sostener una posición equilibrada y equidistante de los protagonistas del conflicto con el objetivo de garantizar que el proceso no está corrompido, ni se actúa en base a preconcepciones. A fin de cuentas, inclinar la balanza o dejarse colonizar por intereses unilaterales equivaldría a juzgar y no es de esto de lo que se trata. Cabe añadir que una interpretación literal conduce a algunos mediadores a operativizar la neutralidad, de forma bien reduccionista, con asepsias del tipo: conceder exactamente el mismo número de reuniones privadas o establecer igual tiempo de intervención para una y otra parte.

La afirmación taxativa y clarividente de Galtung (1995: 368) acerca de que «nadie debería haber tenido nunca la idea de ser neutral. Nunca hubo neutralidad, nunca la hay, y nunca existirá. Creo que la única manera de ser neutral es estar muerto» debería poner fin a la discusión. No ocurre así. De alguna forma las partes necesitan saber que el mediador no establecerá alianzas a favor o en contra de una de ellas y que, además, «nunca se les podrá escapar de las manos su situación. Es un plus de transparencia que facilita la comunicación» (Giró, 1998: 26). Igualmente, deben estar convencidas de que el mediador no procede motivado por intereses particulares en el conflicto. Paradójicamente, también incomoda imaginar un mediador carente de interés en la situación, lo cual sería tanto como abogar por su total despreocupación respecto a lo que vaya a suceder. Con toda certeza, ser capaz de garantizar los resultados del proceso supone, en muchas ocasiones, la continuidad misma del servicio de mediación; haciendo hincapié en este aspecto utilitarista, resulta evidente el deseo del mediador con vistas a obtener, al menos, los beneficios de un resultado satisfactorio.

Debido a que *neutral* se contrapone a *parcial*, en algunos textos el concepto de neutralidad se combina o sustituye por el de imparcialidad. Ambos elementos son considerados como esenciales por Moore (1995: 46), quien opina que «la prueba final de la imparcialidad y la neutralidad del mediador en definitiva está en las partes. Ellas deben percibir que el interventor no se muestra francamente parcial o partidista si se quiere que acepten su ayuda». La imparcialidad, al igual que la neutralidad, ha sido calificada de pura abstracción por autores como Suares (1997), quien acuña el término *deneutralidad* para significar una estructura dialógica de involucración y neutralidad a la vez, destinada a facilitar la intervención de las partes en la deconstrucción de la disputa.

Llegados a este punto, una aproximación, tal vez más pertinente, sea la que recogen Diez y Tapia (1999: 112) cuando indican que «la función de la imparcialidad –no tomar partido por nadie– podría pensarse como "multiparcialidad", es decir, tomar partido por todos». Creemos que esta idea resulta especialmente estimulante, puesto que hace evolucionar un debate estancado en dirimir si resulta, o no, posible ser neutral e imparcial, cuando es bien evidente que «los mediadores desempeñan inevitablemente un papel influyente en el despliegue del conflicto» (Folger y Jones, 1997: 305).

El concepto de *multiparcialidad* evoca independencia y empatía a la vez. El mediador, persona independiente con relación a los actores del conflicto y al resultado del mismo, puede adoptar actitudes empáticas –ya no neutrales– constructoras de confianza, incorporando una carga de signo positivo en el desarrollo del proceso mediador. Desde esta óptica, actuar *como si* fuese neutral resultaría bastante empobrecedor. Ello nos induce a conjeturar que el centro del debate sobre la neutralidad debe bascular hacia la cuestión del protagonismo de las partes, siendo el cometido principal del mediador mantener el equilibrio entre ambas para posibilitar al máximo la autodeterminación. Por encima de todas estas consideraciones, merece la pena recalcar que conservar el protagonismo en manos de los participantes exige, en determinados momentos, que el mediador se eclipse y mantenga una posición retirada. Desde esta perspectiva, «el único interés del mediador es asegurar que las partes mantengan el control de las decisiones acerca del resultado» (Bush y Folger, 1996: 164).

La mediación también es una cuestión política, de modo que el tema de la neutralidad no se limita únicamente al rol de la persona mediadora, sino que conmina a examinar la neutralidad del proceso como tal. La cuestión de fondo es, para comenzar, que «el discurso que se produce dentro de la mediación y el discurso sobre la mediación están vinculados a orientaciones ideológicas amplias acerca de la naturaleza del mundo social, sus estructuras y procesos» (Folger y Bush, 1997: 29). Globalmente se podría afirmar que aquellas sociedades que instauran instancias de mediación realizan una indiscutible opción política por una ciudadanía activa, autónoma, responsable y participativa. Por añadidura, como fórmula de educación social «puede ayudar a construir un mejor futuro a partir de la convivencia, principalmente si no reducimos la educación social a una didáctica social acrítica» (Petrus, 1998: 25). De este discurso se desprende, indirectamente, que no es factible aplicar la mediación a cualquier entorno, ya que «los valores que la sostienen y la concepción de sujeto de la que es portadora hacen que sea imposible de aplicar en contextos que no sean congruentes» (Schvarstein, 1997: 27).

Además, mediar en un determinado conflicto puede resultar ventajoso para aquellas partes que, excluyendo a otros implicados en el conflicto, aprovechan el escenario mediador con la intención de colaborar estratégicamente o formar una coalición. Como sucede en los conflictos internacionales, la mediación facilita el acceso al conflicto a actores pretendidamente externos con intereses más o menos camuflados. Por ello, Bercovitch (1996: 9) afirma que la mediación «no debería confundirse con altruismo; los mediadores generalmente conocen sus propios intereses y tienen motivos, conscientemente expresados, o no, que desean ver promovidos o protegidos».[10] De nuevo, queda descartado todo sueño de neutralidad.

Con relación al proceso opinamos que el problema de la neutralidad surge cuando no se enfoca la mediación como una tarea cooperativa, de equipo, con objetivos comunes y compartidos en donde «las partes en conflicto se han dotado de una secuencia de aprendizaje alternativo al superar el estricto comportamiento reactivo o impulsivo y al adoptar la respuesta reflexiva; han aprendido a aprender y a madurar como personas, es decir, han introducido elementos de crisis en la dogmática personal: entre el "yo" y el "tu" han construido el necesario y estimulador "nosotros" en presencia de una tercera persona, el/la mediador/a, reforzando la idea de una comunicación propiamente ternaria» (Sarrado, 1998: 102-103). Cuando el objetivo de la mediación consiste en trabajar conjuntamente para afrontar una situación conflictiva,[11] creada y mantenida entre todos, fácilmente se da la bienvenida a aquellos que están preparados para implicarse, es decir, para colaborar en la búsqueda.

El mediador se halla, quiera o no, integrado en el proceso –aunque no en el conflicto– y su principal desvelo consiste en lograr la horizontalidad del intercambio comunicativo. Para que cada uno de los participantes tenga la oportunidad de hacerse escuchar se requerirá, a veces, un empuje que nadie más que el mediador puede proporcionar. De ello no se sigue que por el solo hecho de impulsar una parte más que otra exista, necesariamente, predilección por un resultado determinado, sino un intento de conseguir representatividad en el proceso. Difícilmente se establecerán acuerdos si alguien no participa plenamente o se

10. Traducido del original en inglés.

11. David Johnson y Roger Johnson, alumnos de Morton Deutsch, quien a la vez lo fuera de Kurt Lewin, basan en el trabajo cooperativo sus propuestas en el ámbito de la educación y señalan como componentes esenciales, a todas luces generalizables al contexto mediador, la interdependencia positiva, la interacción cara a cara estimuladora, la responsabilidad individual, las técnicas interpersonales y de equipo y la evaluación grupal (Johnson, Johnson y Holubec, 1999: 22).

siente excluido. Incluir a todo el mundo garantiza la equidad del proceso y, al fin y al cabo, éste es el meollo de la cuestión. Resumiendo, la mediación es, a nuestro modo de ver, un proceso eminentemente inclusivo en el cual el mediador realiza el esfuerzo de mantenerse independiente a la vez que se muestra empático. Pretender neutralidad resulta poco menos que absurdo.

2.5. La mediación, ¿ausencia de poder?

En el debate en torno al rol del poder en la mediación, la cuestión se suele centrar en las personas –mediador y protagonistas del conflicto– así como en la adopción del acuerdo. Las manifestaciones, unánimes en esta ocasión, desaconsejan el ejercicio del poder por parte del mediador, propugnan el equilibrio de poder entre las partes y proscriben al mediador en lo que al acuerdo respecta.

Desmentiremos, de entrada, que el poder esté ausente de los procesos de mediación. Recuerda Gutiérrez (1998) que ya Hegel escribió que quien media detenta poder. También Lederach (1995)[12] remarca que los mediadores no son ingenuos respecto al poder. Por su parte, Acland (1993: 151) matiza que «si los mediadores deben tener algún poder, lo que a mi juicio es dudoso y a todas luces indeseable, debería ser el de la educación: enseñar a las partes en conflicto a formular las preguntas correctas sobre sí mismos y sobre los demás, sobre sus necesidades, sus motivos, su situación». De forma parecida, Ury (1997) considera que educar es la mejor forma, si no la única, de negociar con personas poderosas e inflexibles. Este conato en favor del potencial educativo de la mediación apunta hacia un horizonte en el que, como venimos defendiendo, se vislumbra la mediación como proceso no violento de cambio social.

Con relación al acuerdo, se acepta mayoritariamente que su adopción es potestad íntegra de las partes que, en ningún caso,

12. En Stutzman, J. y Schrock-Shenk, C. (comps.) (1995).

habrán de pactar si no lo desean. Touzard (1981: 80) declara que el mediador «no tiene ningún poder para imponer una solución a los protagonistas. No es más que un catalizador». Esta función de catálisis ofrece una idea bastante clara de la importancia de la intervención del mediador en el proceso, a la vez que preconiza su exclusión final. Si bien comprendemos perfectamente que el mediador no puede ejercer de forma directa ningún poder, aún menos el de dictaminar un acuerdo y hacerlo cumplir; tampoco ignoramos que, ingeniosamente, puede dar a entender que cualquier otra vía resultaría más perjudicial y presionar hacia la aceptación de un resultado determinado.

Conviene hacer una breve referencia a las oscilaciones en cuanto a estilos de acción del mediador; autores como Folger, Poole y Stutman (1997) reconocen que los mediadores pueden intervenir de cuatro formas diferentes: integrando, compensando, mostrándose inactivos y presionando. Estas distinciones, que nunca son monocromas, nos fuerzan a cuestionar cuál debe ser la orientación de la persona mediadora cuando advierte francamente que no hay equilibrio entre las partes. Esta no es una pregunta banal; parece que últimamente proliferan las acusaciones respecto a injusticias cometidas en procesos de mediación hacia la parte más debilitada que, en el ámbito familiar, por ejemplo, se suele identificar con la esposa. De entrada, Lederach (1996) advierte que un alto nivel de desequilibrio entre las partes pone seriamente en duda el funcionamiento de la mediación, dado que la parte más poderosa suele recurrir a otros métodos para conseguir sus fines. No cabe duda de que sin un mínimo reconocimiento entre los protagonistas no hay mediación posible, mucho menos si no son conscientes de su mutua interdependencia. En tal situación, un mediador inactivo poco puede hacer; más bien requerirá habilidad para «lograr cierto equilibrio de poder: tratará de encontrar la forma de ayudar al más débil para que muestre mayor firmeza, y de recordar al más fuerte los riesgos y las responsabilidades de las demostraciones excesivas de poder» (Acland, 1993: 102). La mayoría de aportaciones relativas al equilibrio o desequilibrio de poder entre las partes y cómo afrontarlo provienen del ámbito de la negociación y, dado que la mediación se ha definido como *negociación asistida*, usualmente sirven de pauta en este campo.[13]

El mediador se encuentra delante de personas en situación de crisis, que acuden a él porque en un determinado momento se les antepone un escollo que deberán superar para proseguir sus trayectorias vitales. Resulta tentador brindarles una mano generosa, especialmente si percibimos en ellas un elevado grado de confianza, unido a la esperanza de que la solución provenga de un mediador sabio y experimentado, quien quizá sabrá ver aspectos que, como protagonistas, han pasado por alto. Si orientamos el proceso de mediación preferentemente hacia la obtención de una solución –aun cuando ésta sea acordada de buen grado–, tal vez permitiremos que las partes se desapropien del conflicto y, sutilmente, les indicaremos el camino a seguir, *nuestro* camino que, a fin de cuentas, sólo es *un* camino. Si, por el contrario, el proceso de mediación se desarrolla principalmente en beneficio de las personas, convendrá alimentar la confianza en las partes, priorizar el ejercicio de sus libertades y aceptar las soluciones que han sido creadas entre ellas valorando, en su justa medida, el hecho de que hayan ejercido las propias capacidades con la consiguiente satisfacción que ello comporta.

Para concluir, resulta paradigmático notar que el poder de la mediación radica precisamente en su *no poder*. Walton (1998: 121) cree que «para el mediador es una ventaja no tener poder sobre el futuro de las partes, ya que así dichas partes sienten menos riesgo al afrontar con franqueza los problemas y reducen su tendencia a buscar la aportación del mediador». Sin embargo, el verdadero valor de este *no poder* que arraiga en la evolución de las sociedades que huyen de la represión, la violencia y la pasividad se encuentra en la toma de conciencia de que las decisiones se deberán tomar en base al consenso construido conjuntamente en un espacio nuevo, enriquecido por la presencia real de quienes lo configuran –lo mismo las partes que el mediador–. A

13. En la conocida obra de Fisher y Ury (1991), *Getting to yes. Negotiating Agreement without giving in*, los autores dedican el sexto capítulo al poder (pp. 97-107). También Cornelius y Faire (1966) se ocupan del tema en el quinto capítulo (pp. 83-103) de *Tu ganas, yo gano. Cómo resolver conflictos creativamente... y disfrutar con las soluciones*.

nivel comunitario, se puede aducir que la mediación supone un trasvase de poder de las instituciones a los ciudadanos solidificando, entonces, los valores de las sociedades democráticas.

2.6. La mediación, ¿un proceso informal?

La mediación se encuentra en plena fase de expansión, ya que cumpliendo con su función más genuina, a saber, fomentar la comunicación incluso en los momentos y situaciones más difíciles, ha captado la atención lo mismo de profesionales de élite que de personas sin ningún tipo de formación académica o carisma mediático. Acland (1993: 323) proclama que «el proceso de mediación ha llegado y está aquí para quedarse».

Se establece una primera distinción entre *mediación formal* y *mediación informal*, que sugiere que hay diversas prácticas de mediación. Cuando quien ejerce de mediador actúa espontáneamente en el propio entorno, interviniendo en situaciones conflictivas del día a día, tratando de favorecer acuerdos, contactos y relaciones positivas entre las personas, bien sea respondiendo a una forma de ser, a un rol social, o sirviendo a intereses propios, se considera que la mediación se realiza informalmente. Por supuesto, no siempre sucede así; la mediación formal, mucho más reglada, se basa en técnicas cada vez más consolidadas, procedimientos establecidos, instancias organizadas y mediadores profesionales. Hay quien ve en estas dos corrientes, mediadores *desde abajo* y mediadores *desde arriba*, un interés por la autonomía o por la institucionalización de la mediación (Six, 1997). El debate en torno de la profesionalización de la mediación constituye, a nuestro entender, el verdadero núcleo del enfoque formal o informal del proceso.

En la actualidad, la mediación despliega un fuerte atractivo ante las personas dedicadas a tareas humanitarias que realizan servicios de solidaridad voluntaria y desinteresadamente, sobre todo en el seno de organizaciones no gubernamentales, donde cobra pleno sentido lo que se ha dado en denominar *diplomacia ciudadana* o *multivía* (Farré, 1998). Aquí podríamos ubicar el desarrollo a nivel macro de la corriente informal.

La continuidad de la mediación formal también parece garantizada por el interés manifiesto de todo tipo de instituciones y un buen número de profesionales de formación diversa que le auguran un futuro prometedor. Su verdadero éxito dependerá, en este caso, de los usuarios, es decir, de la demanda específica, del impulso que oficialmente se le quiera dar y de los antecedentes culturales de cada contexto, que pueden ser más o menos propensos al litigio o al consenso.

Todavía no ha concluido el debate sobre las condiciones de acceso al ejercicio instituido de la mediación debido, en buena medida, a la coexistencia de mediadores profesionalizados y mediadores voluntarios que desarrollan, estos últimos, su labor como una contribución a la comunidad. La indefinición misma sobre quién puede, o no, ejercer de mediador, o cuál es la formación específica requerida para tal menester, ha propiciado los calificativos de *emergente* y *polivalente*, indicativos de una función mediadora multiforme que se esparce por doquier antes de ser regulada.

Por el momento, la mediación no cuenta con una aceptación general, ni con una orientación clara al servicio, tampoco con una formación en base a un cuerpo teórico riguroso, condiciones todas ellas necesarias para que una determinada actividad pueda considerarse profesión (Scimecca, 1991). Ni siquiera hay unanimidad a la hora de optar por esta vía. En el ámbito comunitario, por poner un ejemplo, parece ser que los mejores mediadores son personas de la propia comunidad que se han capacitado para desarrollar esta función (Schvarstein, 1997). En contrapartida, cuando se trata de convertir a los mediadores en una especie de cuerpo de élite y de apoyar la trayectoria institucional de la mediación, algunos autores advierten del «riesgo de su vaciamiento y el de la reducción de una instancia de participación responsable –siempre posible si pensamos en términos no de lo óptimo sino de lo factible– a una caricatura o remedo de dispositivos empleados en otros países que llevan años de experimentación y que, además, idiosincrásicamente, se diferencian en mucho de nosotros» (Corbo Zabatel, 1999: 147).

Tal disparidad de opiniones en pro y en contra de formalizar la mediación hace que nos planteemos seriamente la coexistencia de diversas prácticas susceptibles de ir definiendo y retroalimentando un cuerpo teórico todavía incipiente. Según Moore (1995), la carencia de fundamentos se atribuye a diversos factores: discrepancia entre los propios mediadores sobre si su práctica es una técnica o bien se acerca más a un arte; protección del secreto profesional, en lugar de su difusión; índole confidencial de los temas tratados; dificultad de que las partes acepten ser observadas por investigadores; atención preferente dedicada a la negociación; y la diversidad de prácticas que hacen difícil captar el proceso globalmente. Así pues, el reto de futuro para las diferentes disciplinas que se han acercado a la mediación será, con toda probabilidad, aglutinar conocimientos suficientes a fin de hacer avanzar la mediación con solidez y rigurosidad. En el terreno de lo social, además, el ejercicio no formal de la mediación deviene el sustrato donde enraízan sociedades más pacíficas y, por ende, más justas.

2.7. La mediación, ¿una negociación asistida?

Un gran número de definiciones incorporan el término *negociación* aduciendo que es la pérdida de esta capacidad en momentos de conflicto la que da entrada al mediador. De hecho, la formación de los futuros mediadores se inicia, en muchos casos, con técnicas de negociación. Moore (1995: 32), por ejemplo, señala que la mediación «es una extensión y elaboración del proceso negociador» y Acland (1993: 32) asegura que «la base de la mediación es la negociación». A pesar de ello, las finalidades de la mediación y de la negociación son, como veremos, bien diferentes. Decir que todos somos negociadores, como se afirma en la tan citada frase de Fisher y Ury (1991: 18): «te guste o no, eres un negociador», es una manera muy prosaica de ver el cúmulo de relaciones interpersonales en que diariamente nos hallamos inmersos. No toda controversia comporta negociación. Podemos servirnos de la discusión y el diálogo como formas de intercambio de ideas o de expresión de sentimientos, sin necesidad de barajar bienes, servicios, pactos, favores... simplemente por el puro placer de la comunicación, del aprendizaje, de la experimentación, de conocer los propios límites y carencias, del contacto humano o de crear momentos de convivencia. Con absoluta certeza van a producirse tensiones constructivas y destructivas, pero ¿las calificaríamos de *negociaciones*?

No se puede reducir todo intercambio interpersonal a negociación. Sí que, a la inversa, se puede intentar humanizar el mundo de los negocios. De manera que estaríamos en desacuerdo con declaraciones del tipo: «lo común, lo que siempre se da, lo que repetimos infinitas veces en nuestro cotidiano vivir, es la negociación. Algunas veces perdemos esta capacidad, y entonces recurrimos a un mediador para que con su participación nos ayude a ser nuevamente negociadores» (Suares, 1997: 162). También hay quien establece cierto equilibrio en la relación negociación/mediación: «la mediación no se puede ver simplemente como un añadido a la negociación, o como un conjunto de técnicas importadas por alguien completamente apartado de la disputa para corregir los errores perceptivos de quienes se hallan en conflicto. Es una parte integral del proceso de negociación y gestión de conflictos en la cual cada actor, el mediador incluido, interactúa con los otros, ejerce una influencia y busca promover un resultado específico» (Bercovitch, 1996: 9). No conviene perder de vista que la lógica interna de plantear la mediación como negociación resulta engañosa en el sentido de que las relaciones establecidas por motivos de negocios poseen unas características bien particulares, una de las cuales sería una definición clara y consciente de objetivos. De hecho, se ha constatado que los negocios *duros* no reportan, a corto plazo, beneficios a las personas ni, a largo plazo, a las empresas que representan. No sería exagerado decir que, en el mundo de las transacciones comerciales, adoptar una óptica cooperativa puede reportar beneficios sustanciales a nivel económico y que colaborar e integrar no son más que opciones estratégicas. Siempre se habla de ganar-ganar, pero ¿qué sucede cuando las perspectivas son de perder-perder? En cambio, el trabajo cooperativo en el ámbito de las relaciones interpersonales e intergrupales saca a relucir una opción ética que aboca a compartir el conflicto holísticamente y no tanto las pérdidas o ganancias que éste pueda acarrear.

Seguidamente, avanzamos una primera comparación entre las estrategias o macrotécnicas que se aplican lo mismo en mediación que en los procesos de negociación y que se corresponden, bajo otras perspectivas, a capacidades de auto y cogestión social.

FIGURA 1. Uso de estrategias en negociación y mediación.

Estrategia	Objetivos de la NEGOCIACIÓN	Objetivos de la MEDIACIÓN
Escucha activa	Descubrir cuáles son los intereses de la otra parte y cuáles sus puntos débiles para precisar mejor los términos del negocio.	Comprender mejor el punto de vista y los sentimientos del otro para entender la carga vivencial de la situación. Pensamiento creativo.
Pensamiento creativo	Incrementar la productividad de la transacción (aumentar el pastel).	Abrir el conflicto y disponer de diferentes posibilidades de acción. Cooperación.
Cooperación	Unir fuerzas estratégicamente.	Corresponsabilizarse y mostrarse respeto mutuo. Consenso.
Consenso	Garantizar el éxito en la implementación de la solución acordada.	Elaborar y crear significados compartidos transformadores de la interrelación. Empatía.
Empatía	Separar la persona de sus sentimientos.	Incluir el repertorio emotivo como parte de la situación. Libre toma de decisiones.
Libre toma de decisiones	Equilibrar el poder.	Otorgar el liderazgo a los protagonistas del conflicto.

Con ello concluimos que una buena negociación incorpora elementos de la lógica mediadora, no a la inversa.

2.8. La mediación, ¿llegar a un acuerdo?

Uno de los puntos fuertes de la mediación y de su presunto éxito radica en el hecho de que los acuerdos no estereotipados y pactados en común, en presencia del mediador, comportan un grado de cumplimiento supuestamente superior a los dictados por un juez o un árbitro, los cuales se viven como una imposición. La mediación, vista como un proceso que «estructura la intervención de las partes involucradas en modos que favorecen, simultáneamente, su participación y su legitimidad, permitiéndoles asumir responsabilidad en términos de diseñar la resolución de su disputa» (Cobb, 1997b: 18), pone de relieve que la posibilidad de tomar las propias decisiones en base a demandas legitimadas consensuadamente aumenta el umbral de responsabilización hacia los conflictos.

Los detractores de la mediación también utilizan el acuerdo como punto clave de denuncia. A su entender, el hecho de que el proceso de mediación no esté convenientemente regulado permitiría manipular los acuerdos impunemente, revictimizar a los más débiles y sancionar una situación, a veces, de injusticia prolongada. Por ello, Cobb (1997a) insiste en la importancia de que el acuerdo refleje las historias de ambos disputantes, lo cual implica impedir que una narración colonice el proceso y facilitar la exploración de la otra narración, aquella que quizá se ha expresado con menos coherencia. De lo contrario, el proceso de mediación podría convertirse en componenda, atropello y marginación.

El abuso o perversión de la mediación resulta difícil de penalizar, en gran parte debido a la particularidad de que los protagonistas han consentido voluntariamente en pactar las medidas que han estimado más convenientes a su situación. Velar por la equidad y la legitimidad del acuerdo es competencia del mediador, quien habrá de coparticipar en la exploración de la situación conflictiva y ofrecer a los protagonistas espacios suficientes de reflexión para que el consenso sea satisfactorio para ambas partes. En palabras de Six (1990: 193), «es necesario que el fruto haya madurado verdaderamente y que parezca jugoso a las dos partes, que podrán, ahora, sentarse a la mesa para comerlo juntos».

El acuerdo es, además, el eje que permite diferenciar entre tendencias de mediación contrapuestas, según pongan el acento en el proceso que se desarrolla entre las personas o en los componentes sustantivos del conflicto. Pruitt (1981: 201) precisa ambas orientaciones: «la mediación enfocada al proceso persigue desarrollar condiciones y habilidades que facilitarán las concesiones y el proceso de solución de problemas. En cambio, la mediación enfocada al contenido trata la sustancia de los temas bajo discusión, con la tercera parte sugiriendo soluciones o intentando persuadir a los negociadores de moverse en determinadas direcciones». Dejando de lado esta primera distinción, cuando en mediación se habla de corrientes aparecen, en realidad, tres líneas más o menos consolidadas: 1) orientación hacia el contenido o enfoque de solución de problemas, en donde el logro de un acuerdo es primordial; 2) orientación hacia el proceso o enfoque transformativo; aquí el acuerdo ocupa un lugar secundario; y 3) orientación hacia el contenido y el proceso o enfoque comunicacional. Sobra decir que la permeabilidad entre estas tres alineaciones, que más adelante retomaremos, genera infinidad de prácticas y posicionamientos.

Como venimos diciendo, para determinados autores, el acuerdo en sí aportaría la justificación primaria de la mediación; así se desprende, por poner un ejemplo, de la definición de Moore (1995: 44): «la mediación es la intervención en una disputa o negociación de un tercero aceptable, imparcial y neutral que carece de un poder autorizado de decisión para ayudar a las partes en disputa a alcanzar voluntariamente su propio arreglo mutuamente aceptable». En cambio, Acland (1993: 192) manifiesta explícitamente que «el objetivo primordial de la mediación no es llegar a un acuerdo: es brindar un proceso en el que las partes puedan educarse a sí mismas con respecto al conflicto e indagar las distintas opciones que tienen para resolverlo». Desde una concepción que podríamos calificar de ecléctica con relación al debate que nos ocupa, se entiende que la distinción entre proceso y contenido queda completamente desdibujada en el proceso narrativo. No se trata tanto de establecer unos hechos como de construir una historia con contenidos renovados; por consiguiente, «el mediador, una vez incluido, ya no neutral ni distanciado, pasa a ser responsable del proceso, lo que a su vez exige el manejo del contenido: la pragmática de la mediación está interconectada con la política del proceso» (Cobb, 1997a: 88).

La obtención de acuerdos abre, además, otro frente polémico relacionado con la evaluación y valoración de los procesos de mediación. El éxito de la mediación se barema, usualmente, mediante un cálculo estadístico del tanto por ciento de acuerdos firmados en comparación al número de procesos llevados a término. Naturalmente, resulta fácil adivinar que este procedimiento no es aprobado por la totalidad de mediadores, ya que hay quien defiende que «el buen éxito de la mediación no depende de que al final se firme un acuerdo –aunque para todos sea lo más deseable–; también es importante tener en cuenta si se logró o no que las partes alcanzaran un buen nivel de comunicación, si ésta mejoró sustancialmente respecto de la que tenían antes de iniciarse el proceso» (Martínez de Murguía, 1999: 89).

A nuestro modo de ver, la firma de un acuerdo debería tener por objetivo univocar las decisiones tomadas para que, con el tiempo, no se nublen ni pierdan claridad. Con relación al contenido de este documento, Bush y Folger (1996: 383) piensan que «los acuerdos escritos también pueden incluir descripciones sucintas acerca de los puntos en que las partes no pudieron acordar, sus callejones sin salida». Opinamos, al igual que los mencionados autores, que además de los puntos de acuerdo también sería interesante hacer alusión a aquellos aspectos que han quedado pendientes, así como exponer una sucinta valoración del proceso realizada conjuntamente por el equipo mediador y los protagonistas. Entonces, ya no hablaríamos de *acuerdo*, refiriéndonos al documento escrito, sino más bien de *memoria* de mediación.

Sin ningún tipo de duda, disentimos totalmente de quienes defienden que «si la mediación termina con la firma del acuerdo, lo más recomendable es que éste tenga el valor de un contrato, para que conserve toda su efectividad» (Martínez de Murguía,

1999: 91). Estimamos que la apuesta de la mediación por la autogestión de los conflictos es bien clara y, por lo tanto, no deberíamos caer en la trampa final de exigir el cumplimiento de lo que voluntariamente se ha acordado; si hay necesidad de ello es, con toda probabilidad, porque en algún momento se ha forzado el pacto.

La exploración conjunta de las posibilidades de ponerse de acuerdo permite hacer patente el propósito de colaborar, marcarse unos objetivos, enfocar el proceso, acotarlo y no divagar. Sería cuestión de «lograr no tanto un acuerdo sino la colaboración a través de un acuerdo» (Risolía de Alcaro, 1996: 120). Queremos dirigir la atención al hecho de que ponerse de acuerdo resulta gratificante en el terreno emocional y, plasmarlo en un documento, conveniente. En buena medida, supone un reconocimiento explícito del esfuerzo realizado por las partes y ayuda a guardar memoria del consenso que han sido capaces de construir por sí mismas. Y ello en el bien entendido de que lo alcanzado no es más que un equilibrio dinámico que, con el tiempo, se va reorientando.

Proponemos la expresión *ponerse de acuerdo* porque implica presencia humana; ¿no es de esto de lo que se trata? Ponerse de acuerdo, lo mismo que constatar y corroborar un desacuerdo, presupone tomar conjunta y libremente una decisión informada, ni más ni menos. Tampoco se pretende que la mediación, ejecutada en un único proceso, en unas pocas horas, opere *el* cambio social al que aludimos en el título del libro.

2.9. La mediación, ¿una intervención pacífica?

Hasta cierto punto, regular la convivencia en base a normativas legales es una vía de mantener la paz negativa o ausencia de violencia directa. En cambio, la paz positiva entendida como ausencia de violencia directa, estructural y cultural se edifica desde el día a día cada vez que afrontamos un conflicto de manera creativa, tomamos una decisión contando con el punto de vista de los demás, dialogamos, trabajamos cooperativamente, cultivamos nuestras relaciones interpersonales, aceptamos una diferencia, nos comprometemos con los valores humanos... Siendo así, la paz deviene un quehacer cotidiano que compromete a todo el mundo en su mantenimiento (*peacekeeping*), práctica (*peacemaking*) y acción constructiva (*peacebuilding*). Creemos que la mediación erige escenarios donde estas tres funciones son factibles. En opinión de Gottheil (1996: 218), «dado que el conflicto es siempre posible, la mediación significa asentar su solución en la paz y el consenso, a pesar del disenso previo, lo que vale tanto como transformar lo que sin ella es una fractura en un hecho más de convivencia».

La mediación puede considerarse, en efecto, una intervención pacífica, ya que compromete a todos los actores sociales en relación con la propia participación, directa o indirecta, en los conflictos; como bien dice Galtung (1998: 36), «la humanidad muere un poco en cada guerra». Se trata de sentar los cimientos para que la persona experimente el hecho de vivir de forma «pacífica pero crítica (no pasividad), armónica pero disonante ante la injusticia (no conformismo), libre pero comprometida en la defensa de los derechos humanos (no individualismo), segura pero abierta al cambio (no inmovilismo), sensible pero fuerte ante las circunstancias (no debilidad), sencilla pero profunda (no banalidad), siendo ella misma pero sabiendo escuchar y ponerse en el lugar de la otra persona (no cerrazón), responsable pero alegre (no pesimismo), afectiva pero autónoma (no dependencia), respetuosa pero intransigente delante del ejercicio de cualquier tipo de violencia (no indiferencia)» (Romia, 2000: 86). La mediación construye nexos de paz paso a paso, lentamente, pero no a cualquier precio, ya que la opción por la paz positiva o justicia social implica la defensa activa de los derechos inalienables de todos los seres humanos. Se trata de fomentar el sentido crítico, la beligerancia positiva, el coraje y el compromiso cara al futuro.

Durante el proceso, el mediador modela el espacio comunicativo y axiológico aunque, tal y como notan Diez y Tapia (1999: 28), «como mediadores no podemos cambiar el mundo, pero sí podemos intentar ayudar a la gente a que hable de un modo diferente con la esperanza de que si así lo hace, entonces se modificará su modo de interactuar y se producirán cambios que permitirán llegar a hacer acuerdos. Y cuando esto sucede, ¿no podemos decir que es un cambio en el mundo? Creemos que sí. Para esto trabajamos, convencidos de que estos procesos contribuyen en alguna medida, humilde y no grandilocuentemente, a la paz social».

2.10. La mediación, ¿arte o técnica?

La primera consideración a realizar es que «los propios mediadores discrepan acerca del carácter artístico o científico de la mediación» (Moore, 1995: 12). El arte nos sugiere creación, originalidad e innovación; la técnica nos remite a eficiencia, precisión y sistematización. En términos peyorativos, el arte se convertiría en mera improvisación y la técnica en dura insensibilidad. Parece ser que el debate podría escindirse entre prácticos, quienes «proclaman que la mediación es un arte con tantas teorías, filosofías y aproximaciones como mediadores existen» (Kolb, 1983: 3), y teóricos, más inclinados al dominio de un mínimo de técnicas que garanticen el rigor del proceso. Lo cierto es que el mediador trabaja con personas únicas en situaciones irrepetibles y es en este sentido que no puede prever qué sucederá, ni planificar a priori el desarrollo del proceso; precisamente por este motivo le será de gran utilidad conocer y dominar un amplio abanico de técnicas.

Diez y Tapia (1999: 255) insisten en el hecho de que «tanto las necesidades de las personas como las del procedimiento nunca son iguales en una mediación y en otra. Si nosotros intentáramos aplicar siempre las mismas recetas, seguramente no podríamos intervenir eficazmente. Por eso se dice que la mediación es una práctica artesanal». Como siempre, en el campo de las actividades humanas resulta tanto o más importante el *cómo* que el *qué* y el dominio de técnicas no presupone su adecuación a las circunstancias concretas. Por otro lado, no podemos ignorar que ser creativo no es nada sencillo. Según un experto en la materia, Csikszentmihalyi (1998: 47), «una persona no puede ser creativa en un campo en que no ha sido iniciada», es decir, que un buen nivel de conocimientos aumenta las posibilidades creativas.

Creemos, al igual que Six (1990: 231), que la mediación «es a la vez una técnica y un arte, sobre todo un arte, pero un arte exige mucha paciencia y mucha técnica. Pide una formación apropiada». En definitiva, el solo hecho de saber que la próxima mediación va a ser diferente de las anteriores debería impulsar a toda persona mediadora a informarse al máximo, a revisar su práctica y a trabajar en equipos de autoformación.

A estas alturas y en un entorno social en el cual los cambios y las crisis se suceden, es del todo evidente que la persona mediadora –que encuentra su lugar precisamente en medio de las transformaciones– no puede limitarse a reproducir de forma inmutable los mismos planteamientos, ni a seguir las directrices de un plan preconcebido. Está claro, pues, que la autoeducación y la coeducación merecen ocupar un espacio preeminente en el desarrollo y evolución de la función mediadora.

2.11. La mediación, ¿libre consentimiento?

Por voluntariedad se entiende que los protagonistas acceden, permanecen y participan en el proceso de mediación por libre consentimiento. Como remarca Giró (1998: 22), «la mediación no es una cuestión de fuerza sino de solicitación libremente aceptada». De hecho, la voluntariedad esconde un gran dilema. Por un lado, puede suceder que una de las partes esté disfrutando con el conflicto y acaso no tenga ningún interés por comprometerse en un trabajo de entendimiento; o bien al contrario, quizá tema que su consentimiento a la mediación pueda ser interpretado como signo de debilidad (Schiffrin, 1996). Por consiguiente, muchas de las situaciones viables en un proceso mediador se ven abortadas. En cambio, si se obliga a intentar la mediación en relación a ciertos conflictos, se llega a popularizarla y, siempre que sea valorada como exitosa por parte de los protagonistas, se habrá conseguido, aparentemente, realizar una buena labor.

La tentación de convertir a la mediación en una instancia prescriptiva entraña el peligro de que se convierta en un trámite más, el primer escalón hacia la vía judicial. Martínez de Murguía

(1999: 44) confirma esta tendencia hacia la mediación impuesta: actualmente «el principio de voluntariedad en la mediación –las partes acudían a ella sólo si lo deseaban– está siendo modificado en la legislación de algunos países, en los cuales se exige que se recurra a ella como paso previo al litigio». La obligatoriedad, al menos teóricamente, tan sólo afectaría a la entrada en el proceso, ya que «aun en los países o Estados en los cuales se establece la mediación como proceso obligatorio previo al juicio, no es ineludible llegar hasta el final del proceso, es decir, no es obligatorio llegar a un acuerdo, ni siquiera en los casos derivados de los tribunales» (Suares, 1997: 44). Resulta fácil imaginar que, en esta tesitura, una de las habilidades esenciales que los mediadores deberán desarrollar se orientará a disuadir a las personas que les son derivadas de proseguir con el litigio, instándolas a acordar bajo unas circunstancias que, supuestamente, les serán más favorables. Generalmente, la mediación coactiva presiona a los protagonistas y se orienta a la obtención de acuerdos rápidos. Su existencia paralegal se justifica por la sobresaturación de los tribunales de justicia y por la menor cuantía de los costos. A favor de la mediación coactiva «se han presentado en Estados Unidos estudios que muestran que el porcentaje de acuerdos finales en mediaciones voluntarias y obligatorias es muy similar» (Martínez de Murguía, 1999: 58). De aquí a prever acuerdos de tipo contractual de obligado cumplimiento la distancia es mínima.

Lo cierto, empero, es que en el alma misma del proceso mediador se encuentra inscrito el precepto del libre consentimiento de las partes que, con el gesto de acudir a la mediación, muestran una primera inclinación a abrir un paréntesis en la situación conflictiva que experimentan y a ofrecerse la posibilidad de explorarla en común. Dar voluntariamente este paso inicial indica la presencia de un continuo de actitudes bien significativas y seguramente vitales para que el proceso de mediación no nazca deforme. No es lo mismo *recurrir* a la mediación que *someterse* a la mediación. ¿Se pueden hacer las paces a la fuerza? Advierte Six (1990: 179) que en lo referente a la mediación nos hallamos «en un dominio donde nada puede ser obligado».

2.12. La mediación, ¿quién decide?

Una de las funciones innegables de la mediación es la de fomentar la autodeterminación y el protagonismo de las personas en conflicto. En este sentido, «dejar la solución en manos de un juez o un árbitro significa poner en un tercero la responsabilidad, no hacerse cargo del propio conflicto. Participar en un proceso de mediación significa asumir esa responsabilidad, mantener el conflicto dentro de su propio ámbito sin que se perjudique la convivencia» (Gottheil, 1996: 220). En realidad, cuando ante un conflicto se prioriza la persona por encima del contenido, «el eje de la práctica gira en torno de establecer y sustentar un contexto que permita a las partes hacer elecciones claras y conscientes, así como prestar consideración a las perspectivas de los otros participantes si así lo deciden» (Folger y Bush, 2000: 95); de lo anteriormente dicho se sigue que la mediación es «un proceso de habilitación, porque da a las partes en conflicto el poder de tomar sus propias decisiones» (Acland, 1993: 56). Por el contrario, cuando se aboga por un resultado determinado, posiblemente se intenten vías de presión, bien sean coercitivas o bien legales, que, dicho sea de paso, no aseguran que se alcance aquello que se pretendía, y crean dependencia y descontento en los afectados por una medida impuesta.

En la práctica, se constata cómo, cada vez más, todo el mundo quiere decidir sobre las cuestiones que le incumben; incluso el derecho a la muerte digna ha originado un interesante dilema que contrapone la visión científica de la enfermedad con la visión humanística y personalizada de la vida. También desde la teoría de juegos se han realizado progresos en este sentido: ya no se trata de calcular cuál es la mejor solución a un problema, sino que el interés radica en descubrir cuál será la más satisfactoria.

La cuestión de la autonomía de las partes lleva aparejadas, en la otra cara de la moneda, la autocrítica y la evaluación hacia la responsabilidad adquirida. Pero, una vez habituados a que «los docentes nos despojen de nuestros conocimientos; los médicos de nuestro cuerpo; los jueces y abogados, de nuestros conflictos» (Schvarstein, 1997: 24), resulta comprometido, de repente, asumir el ejercicio de las propias libertades. Sin lugar a dudas, la aceptación del error, la tolerancia hacia los demás, la solidaridad y la opinión informada serán actitudes y habilidades a desarrollar. Razón de más para no confundir el derecho a sostener las propias opiniones con la exigencia de que se respeten aun sin confrontarlas, razonarlas o contrastarlas, lo cual equivaldría a ponderar el subjetivismo irracional; no todas las opiniones son respetables aunque sí se debe honrar a todas las personas. Esta faceta autogestiva de la mediación empuja a la humanidad, en su conjunto, hacia una coexistencia no impuesta, sino genuina (Ury, 2000).

La autoapropiación de los conflictos apuesta decididamente por la construcción de la paz y del consenso social que, en pleno siglo XXI, no es cuestión de mantener con el recurso a la violencia o bajo la presión de algún tipo de autoridad. Tal y como indica Six (1997: 207), recurrir a la mediación «no es una forma de ponerse en manos de alguien, es permitirse a uno mismo ir más lejos».

2.13. La mediación, ¿mejora de las relaciones?

Al entender de Ury (2000: 170), «un conflicto no se puede considerar totalmente resuelto hasta que haya comenzado a sanar la relación dañada», motivo por el cual merece la pena remarcar la función curativa de la mediación (Curle, 1995; Montville, 1996). Sin embargo, en una situación conflictiva resulta dificultoso distinguir si los problemas surgen debido a la mala relación entre las personas o si, a la inversa, son los problemas los que deterioran las relaciones. Por su parte, la mediación cuenta con tres elementos –la persona, el problema y el proceso (Lederach, 1996)– para intentar combinatorias diversas que permitan alterar trayectorias circulares aparentemente cerradas. El solo hecho de sentirse entrampado en una dinámica percibida como destructiva propicia un bloqueo cognitivo susceptible de desembocar en la total desapropiación de los conflictos (Boqué, 2000).

La opción decidida por incidir en la mejora de las relaciones la han formulado los teóricos cercanos al modelo transformativo, para quienes «la "relación" es la base del conflicto y de la solución a largo plazo» (Lederach, 1998: 54). Centrar la atención en el elemento humano y su mejora apunta a objetivos algo lejanos, más difíciles de reflejar en una estadística, pero que buscan el crecimiento personal durante el proceso. C. M. Moore (1997: 274) afirma que la mediación «es uno de los procesos de interacción inventados para permitir que las personas vivan juntas». Por consiguiente, establecer relaciones positivas y constructivas es un valor en sí mismo, con independencia de la elaboración de posibles acuerdos; entonces «resulta ciertamente necesario que tomemos conciencia de la enorme cantidad de relaciones que, supuestamente garantizadas, requieren de mayor intensidad, profundización, honradez y escucha» (Riera y Sarrado, 2000: 48).

La corriente de solución de problemas, directamente inspirada en el ámbito de la negociación, también concede gran importancia al hecho de velar por las relaciones que se establecen durante el proceso. Se propugna separar a la persona del problema, ser duro con el problema y suave con la persona, no culpabilizar, permitir *salvar la cara* (Fisher y Brown, 1989; Fisher y Ury, 1991) y todo un paquete de estrategias destinadas a impedir que una mala relación obstaculice la firma del acuerdo, de manera que el problema sustantivo continúa ubicado en el centro del proceso y constituye su meollo.

Las tendencias comunicacionales, a su vez, consideran la mejora de las relaciones humanas como un factor esencial de la mediación. Jones (1997: 58), por ejemplo, declara que «la relación entre las partes en el conflicto sirve como contexto que da sentido a su texto o sus conductas». Y más adelante, la misma autora especifica que «las relaciones se realizan, transforman y evalúan por medio de actos comunicativos. Esto es particularmente evidente en la interacción en el conflicto, porque las relaciones con problemas tienden a ser la causa, la consecuencia, o ambas cosas, de las situaciones conflictuales» (op. cit., p. 63).

A la luz de las anteriores consideraciones, se puede establecer que la importancia de las relaciones interpersonales en las situaciones conflictivas ha captado la atención como elemento de mejora bien sea del resultado, de la comunicación o de las personas en sí mismas. No hay discusión en este sentido. Aquello que varía es la finalidad perseguida en primera instancia. Sea como sea, cabe entender que la mejora de la relación no significa que haya más puntos de acuerdo entre las personas, sino que se pueden tratar y admitir las diferencias sin que este hecho comporte ruptura.

2.14. La mediación, ¿una instancia de prevención?

Se trata, ahora, de situar la mediación previa o posteriormente al reconocimiento explícito de una situación conflictiva. Consideramos que la mediación funciona preventivamente cuando su presencia en un entorno determinado posibilita caminos de consenso y disenso anticipando el uso de la razón al uso de la fuerza y evitando, en la medida que resulte posible, acciones destructivas e irreversibles. En mediación, el principal componente preventivo proviene de la habilitación de las personas que toman parte en el proceso, ya que, desde nuestro punto de vista, los encuentros de mediación han de generar aprendizajes suficientemente significativos como para favorecer su transferencia a nuevas situaciones.

Prevenir los conflictos tiene, empero, una connotación negativa –evitarlos, no dejarlos aparecer– que Burton (1990: 3) ha intentado corregir adoptando el neologismo *provención*, definido por el autor como sigue: «provención de conflictos significa deduciéndolo de una adecuada explicación del fenómeno del conflicto, incluyendo sus dimensiones humanas, no meramente las condiciones que crean un entorno de conflicto, y los cambios estructurales requeridos para removerlo, pero más importante, la promoción de condiciones que crean relaciones cooperativas». Así pues, la posibilidad de una intervención temprana puede interpretarse como aquella acción que incide en un entorno donde se han detectado indicativos de inminente conflicto o de conflicto abierto. No olvidemos que la dinámica de los fenómenos conflictivos incluye una fase de preparación en la cual la ausencia o presencia de determinadas condiciones promueve la escalada. Mucho antes de mediar formalmente, es posible realizar un trabajo de campo que trate de compensar y equilibrar las tendencias negativas de un entorno determinado. Por otra parte, un proceso de mediación da la oportunidad a los protagonistas del conflicto de tratar la situación a tiempo y de detener la casi segura escalada. A pesar de ello, asociar mediación a prevención puede hacer olvidar que también es una instancia de intervención, una vez el conflicto ha estallado, y de reparación, así como de reconciliación a posteriori. Cuando el conflicto ya ha estallado, y más si lo ha hecho en forma violenta, el rol de la mediación consiste en reconstruir vínculos y relaciones destruidas o deterioradas. Los últimos estudios sobre reconciliación muestran la necesidad de ofrecer, también a las víctimas, la posibilidad de seguir con su vida dejando atrás, jamás olvidando, los momentos más traumáticos. La mediación proporciona un espacio interactivo de reflexión en el que crear condiciones y fomentar actitudes constructivas hacia uno mismo y la alteridad.

2.15. La mediación, ¿un proceso de transformación?

La aproximación transformativa a la mediación propugna que las «estructuras políticas, educativas, económicas, jurídicas pueden promover conductas enraizadas tanto en la fortaleza del individuo como en su empatía por los demás, esto puede conducir a la transformación del medio social –desde un escenario de lucha adversarial hacia una colaboración en el establecimiento de lazos comunes y la búsqueda de un mejoramiento mutuo–» (Folger y Bush, 2000: 74). Por consiguiente, se orienta a la creación y mantenimiento de puentes entre las personas y de éstas con su comunidad de cara a una evolución conjunta.

Los conflictos se interpretan como situaciones con un importante potencial para el fortalecimiento o *empowerment* humano, desde el momento en que fomentan el respeto, la confianza y la seguridad en sí mismo al tiempo que se alejan de la deshumanización y de la adversariedad. Aquí, «el diálogo transformador puede depender entonces, en gran medida, de que cada participante se encuentre dentro del otro» (Gergen, 2000: 61). No se considera que la finalidad de los procesos mediadores consista en llegar a un acuerdo, sino que se valora, principalmente, el ejercicio de las capacidades decisorias de los protagonistas a quienes el mediador tan sólo asiste.

Se ha dicho que los procesos dominados por mediadores expertos al servicio de intereses concretos –empresariales, gubernamentales, culturales, etcétera– contribuyen al mantenimiento de situaciones injustas que se camuflan bajo el tratamiento particular de problemas colectivos. Contrariamente, la transformación es proceso y resultado generador de nuevas interpretaciones de la realidad, que exceden el encuentro mediador individual invirtiendo en el entorno social. Por su claro componente perfectivo, se incorpora en todas aquellas prácticas centradas en las personas. Más adelante, al tratar los diferentes modelos de mediación, ampliaremos el abasto de la visión transformativa. Por ahora, será suficiente con incorporar esta concepción a nuestro análisis.

2.16. La mediación, ¿en pro del crecimiento moral?

Entendida como solución de problemas, la mediación se interesa por el hecho de que las relaciones y la comunicación entre las personas sean lo mejor posibles, de manera que las actitudes positivas reviertan en la fácil y rápida consecución de acuerdos y, en consecuencia, generen más satisfacción. Se trataría, en definitiva, de *estar* mejor. Sin poner en duda que un proceso tal pueda fomentar el desarrollo de aptitudes y habilidades necesarias para la convivencia, no podemos presuponer, en cambio, su incidencia directa en la esfera de los valores de los coparticipantes en el encuentro mediador.

En los procesos de mediación, la acción decidida hacia el consenso ha de acompañar la palabra y la pauta comunicacional ha de estar impregnada de valores positivos. Dicho de otra manera, «la comunicación mediadora comporta unas reglas y un código deontológico, ya que no se trata de creer en situaciones comunicativas que surgen espontánea e ingenuamente» (Sarrado, Riera y Boqué, 2000: 96). Qué sucede, no obstante, cuando la situación planteada no es tanto de *ganar-ganar* como de *perder-perder*, es decir, cuando el conflicto ha causado daños de tal magnitud que un acuerdo consensuado no resulta suficiente para desbloquear la situación, cuando se hace necesario renunciar y aprender a vivir con los propios fracasos y limitaciones para poder, finalmente, reconciliarse.

Los estadios del desarrollo moral, basados en los estudios evolutivos de Piaget y Kohlberg (Hersh, Reimer y Paolitto, 1988), muestran peldaño a peldaño el paso de una moralidad heterónoma, caracterizada por el egocentrismo y el temor al castigo, hacia un estadio superior en el que se adoptan compromisos acordes a los principios éticos universales,[14] basados en la premisa de que todas las personas son fines en sí mismas y deben ser tratadas como tales. El hecho de aceptar responsabilidades en lugar de exigirlas a los demás es el portal de acceso al protagonismo, al respeto por uno mismo y por el otro, a la concepción interactiva del propio entorno y de la forma de relacionarse. Entonces sí que podemos afirmar que la mediación «produce en los actores una verdadera "impregnación"» (Schvarstein, 1997: 23), encaminada a potenciar la conciencia de pertinencia, justicia, integridad, interdependencia, solidaridad y aceptación. El objetivo sería «un mundo en que las personas no sólo estén mejor, sino que ellas mismas sean mejores: más humanas, más compasivas, más tolerantes» (Bush y Folger, 1996: 60).

2.17. La mediación, ¿fortalecimiento de las personas?

Cuando la práctica de la mediación es directiva, el mediador es quien controla todo lo que sucede en el encuentro mediador, ya que traza el camino que seguirán los participantes desde la entrada hasta la salida del proceso. La intervención mediadora se asemeja a la de un experto que instruye un proceso protector hacia las personas a quien intenta satisfacer. El hecho de trabajar *para* las personas y no *con* ellas, las sitúa en un rol activo tan sólo superficialmente, hecho que las debilita y mantiene dependientes.

Por otro lado, si el objetivo primordial de la mediación es conseguir que cada ser humano utilice efectivamente su fuerza per-

14. Los principios de una ética universal han sido tratados en varias obras, una de las cuales, titulada *Nuestra diversidad creativa*. Informe de la Comisión Mundial sobre Cultura y Desarrollo presidida por Javier Pérez de Cuellar, ha sido auspiciada por la UNESCO.

sonal en el afrontamiento del conflicto, en la corresponsabilización hacia la situación y en la creación y reparación de una red relacional basada en el respeto mutuo, sucede que «se da un paso significativo hacia la transformación individual y social, porque la fuerza del ser humano individual y el sentido de conexión y de comunidad se desarrollan conjuntamente» (Folger y Bush, 2000: 74).

La verdadera participación exige creer que cada persona puede controlar su vida si se le permite tomar conciencia de ello y desarrollar su potencial. En las sociedades de estructura no piramidal, las posibilidades de la red dependerán, en buena medida, de la fortaleza personal; es así como «la capacidad de preguntarse acerca de la variedad de opciones disponibles, de reflexionar, de formular interrogantes significativos, de diseñar fórmulas innovadoras, de aprender a aprender, se vuelven medios activos de enfrentar los conflictos y resistir las significaciones de viejos paradigmas» (Fried, 2000: 24).

En ningún caso deberíamos renunciar a la oportunidad de legar una simiente de esperanza realista en las capacidades de cada una de las personas que participan alguna vez en la vida en un proceso de mediación. De ello depende que, en un futuro, esas mismas personas se sientan más capaces de actuar constructivamente en su entorno social.

2.18. La mediación, ¿un proceso de comunicación?

Una comunicación deficiente se encuentra en la base de numerosos conflictos, los cuales se sostienen con ayuda de la cerrazón y las barreras que, consciente o inconscientemente, interponen las partes entre ellas. Frente a tal hecho, la mediación dispone un escenario conversacional de investigación sobre las posibilidades presentes y futuras en que se reconstruyen el contexto, las personas y las relaciones.

En muchas ocasiones, restablecer la comunicación o mostrar una manera efectiva de comunicarse es uno de los mayores objetivos de los mediadores. La comunicación cara a cara se hace más y más necesaria en un mundo en que «la ingente masa de información que nos bombardea incesantemente, la brutal competitividad, la acelerada gestión del tiempo, la cibercultura, los e-mail, entre otros componentes, han facilitado vías rápidas de acceso a un enorme caudal, si bien a la par nos van privando de la vivencia del gesto, del diálogo presencial, de la conversación pausada y plena de matices, del tiempo que requieren los procesos comunicativos, del tono, del acento, de la posibilidad de compromiso riguroso y responsable» (Riera y Sarrado, 2000: 36). En el proceso de mediación se examinan los diversos significados y se trabaja activamente para transformarlos, de manera que la comunicación constructiva constituye el canal de superación del conflicto y de coordinación entre las partes. Vecchi y Greco (2000: 240) destacan el valor del diálogo, ya que «permite pensar en algo no pensado, escuchar algo no escuchado, decir algo no dicho» procediendo a contextualizar, resignificar y reformular la situación.

En los modelos más instrumentales, la comunicación ocupa un lugar eminentemente técnico que busca la efectividad en el intercambio. El parafraseo y la reformulación, por ejemplo, se encaminan a rebajar las hostilidades y a garantizar la comprensión del conflicto, mientras que la lectura del lenguaje no verbal delata los sentimientos e intereses subyacentes. En cambio, en los modelos transformativos y comunicacionales, «no es la tentativa de precisar lo que se quiere decir, de encerrarlo en algún sitio, sino de sostener un intercambio de apoyo mutuo que no tiene una conclusión forzosa, [...] no hay para el diálogo transformador reglas universales, pues el diálogo mismo modificará el carácter de la utilidad transformadora» (Gergen, 2000: 63, 50). De manera que los significados se hallan en eterna construcción y la comunicación permanece siempre abierta.[15]

En palabras de Fried (2000: 34), «los nuevos paradigmas de la comunicación dan lugar al desarrollo de un conjunto de perspectivas y prácticas conversacionales o discursivas emergentes, útiles para la resolución de conflictos». En la siguiente figura podemos apreciar las diferentes perspectivas a las que hace referencia la autora, desde una óptica transformativa.

15. Se puede ver una comparación entre ambos enfoques en Shailor (2000).

FIGURA 2. Perspectivas transformativas (Fried, 2000).

Prácticas emergentes ⇒ **Perspectivas ⇓**	***Futurización:* construcción de futuros**	***Acción:* posibilitar y fortalecer formas viables de acción**	***Empowerment:* promover el reconocimiento y la recuperación de poder**
Epistémica	Maneras novedosas de construir conocimiento, criterios e interpretaciones que lo organizan.	Viabilidad interpretativa novedosa que promueve coordinaciones inéditas.	Reconoce nuevas posibilidades constructivas e interpretativas.
Dialógica	Significados, anticipados o no, que permiten nuevas interpretaciones y posibilidades de acción conjunta.	Nueva viabilidad para construir y reciclar posibilidades de acción interpretativa y su puesta en acto.	Reconoce posibilidades no anticipadas que surgen en el diálogo y las recupera en acciones específicas.
Argumental	Argumentos novedosos trascienden las perspectivas individuales de inicio.	Nuevas formas de elocuencia.	Reconoce la relación yo/otro y las posibilidades emergentes en la construcción de la argumentación.
Generativa	Enlaza, construye y promueve interpretaciones y acciones novedosas. Trabaja con las oportunidades singulares; virtualidad, lo posible.	Los episodios puntuales devienen oportunidades en las que el futuro orienta al presente.	Reconoce aquello que funciona, recicla, transforma. Reconoce lo que se construye en el proceso y sostiene un foco en lo diverso.
***Del desempeño* (o preformativa)**	Interacciones anticipadas o no que pueden construir alternativas.	Puesta en acto de nuevas posibilidades interaccionales y de acción coordinada.	Reconoce la puesta en acto efectiva de nuevas posibilidades interaccionales.
Narrativa	Transformación de la coherencia narrativa y/o del punto de vista organizador que construye nuevas versiones, coordinaciones y acciones alternativas.	Especifica las posibilidades interpretativas y de acción, y promueve lugares sociales legítimos para los participantes.	Reconoce la reconstrucción autobiográfica y la recreación de posibilidades de acción colaborativa de personas y organizaciones.

FIGURA 2. (continuación)

Prácticas emergentes ⇒ **Perspectivas ⇓**	***Futurización:* construcción de futuros**	***Acción:* posibilitar y fortalecer formas viables de acción**	***Empowerment:* promover el reconocimiento y la recuperación de poder**
Del encuadramiento comunicativo	Coordinación y negociación de encuadres cuya convergencia está asociada a la posibilidad de construir acuerdos.	Facilita o apoya pautas de encuadre novedosas. Organiza una agenda de los diferentes encuadres. Explicita las diferencias de utilización.	Reconoce las posibilidades de negociar encuadres trascendentes de las perspectivas individuales.
Transformadora	Los participantes devienen activos constructores de las condiciones que crean y en las que viven.	Reapropiación de su propio poder y reconocimiento.	Reconoce la propia posibilidad de acción colaborativa de personas y organizaciones.

Otra apreciación interesante es la que subraya el carácter de negociación implícita subyacente en las conductas comunicativas (Drake y Donohue, 2000). Según el modelo comunicacional operante, la interacción avanza en un sentido o en otro, se desenvuelven temas determinados y se actúa en base a pautas dialógicamente establecidas que encuadran la relación de una forma particular.

A modo de síntesis, diremos que la comunicación no es solamente la herramienta principal del mediador, sino que en ella se asienta la génesis de nuevos horizontes simbólicos que otorgan significación a las acciones humanas.

2.19. La mediación, ¿una narración de historias?

La importancia de la comunicación en la mediación es tal que ha llevado a entender que los componentes digitales y analógicos que la constituyen asientan las bases para el trabajo de los coparticipantes en el proceso. El hecho de enviar y recibir mensajes en un contexto concreto y con determinados interlocutores genera narrativas coconstruidas en un continuo intercambio y creación de significados que organizan la propia experiencia. Como sugiere Suares (1997: 130), «somos lo que somos en la actualidad en virtud de la historia de nuestras conversaciones».

Reconocer a nuestro proceso narrativo la potestad de cambiar las circunstancias en que nos hallamos atrapados ha llevado a suponer «que los conflictos perduran debido a la estabilidad de sus narraciones (y que las pautas conflictivas de interacción son el resultado inevitable de esta estabilidad), para mediar en el conflicto es imprescindible "abrir" los relatos a interpretaciones alternativas» (Cobb, 1997a: 100). Las historias que cada quien explica, el cómo y por qué las cuenta, muestran las preocupaciones reales y las motivaciones integradas a la situación que se plantea.

En un entorno hostil, la mediación apuesta por la elaboración consensuada de los conflictos gracias a la riqueza comunicativa que se gesta en el espacio mediador y «nos permite definir la intervención en el conflicto como una construcción narrativa, una desestabilización narrativa y una transformación narrativa» (Cobb, 1997a: 102). En su defensa de la narración por encima de la argumentación como forma más natural, comprensible y participativa que la abstracción rebatible del diálogo argumentativo, Gergen (2000) destaca que la narración genera aceptación en lugar de resistencia, ya que aquello que se expone es una vivencia.

2.20. Aplicaciones, ventajas, límites, errores y malentendidos

En este apartado nos agradaría completar la panorámica que acabamos de presentar –y que no es en modo alguno exhaustiva– en torno al concepto de mediación. Se trata de algunas consideraciones más que encontramos útiles a la hora no tanto de definir como de perfilar la aproximación al proceso de mediación.

A la hora de ubicar la mediación con relación a la diversidad de opciones para afrontar conflictos, la mayoría de clasificaciones se basan en el criterio del liderazgo y control de las partes sobre la toma de decisiones. Desde la discusión informal y la negociación, en donde no hay actores externos, pasando por la conciliación, en la cual se intenta que las partes recuperen su capacidad de diálogo, llegamos a la mediación, el último bastión de control total sobre el acuerdo. A partir de aquí, las diferentes aproximaciones limitan en diferente grado el poder de las partes: arbitraje, litigio y promulgación de leyes. Hoy en día, creer que un juicio puede terminar con un conflicto es casi una ilusión. En un buen número de ocasiones, las partes se han engañado sobre los resultados y, lo mismo si el veredicto es a favor como si es en contra, tener la razón no comporta un cambio real. Por ello, hay quien declara: «he aquí la mejor descripción breve de las ventajas de la mediación: produce un repentino acceso de sentido común» (Acland, 1993: 48).

Con relación a las otras formas de afrontar los conflictos, la mediación presenta características peculiares que la hacen atractiva. Comparada con los procedimientos judiciales, existe común acuerdo en el hecho de que la mediación descongestiona los tribunales, ahorra tiempo y costos económicos, respeta la confidencialidad y permite obtener unos acuerdos o resultados finales más ligados a los intereses de cada protagonista. Como inconvenientes, se señala que la mediación procura salidas individuales a problemas que pueden ser colectivos y «esto lleva a que no se sienten precedentes, jurisprudencia, y a que no se dicten leyes más acordes con lo que pasa en este momento en la comunidad» (Suares, 1997: 54) y a que resulte posible cometer abusos de poder de la parte más dominante sobre la más debilitada. Además, el hecho de que el cumplimiento de acuerdos no sea prescriptivo añade un componente de incertidumbre y su plasticidad raya, en ocasiones, en la frontera de aquello que por propio derecho le corresponde a cada uno. Por lo tanto, la mediación no siempre resulta adecuada, ya que «no todos los conflictos ni todas las confrontaciones tienen por qué ser reconducidos positivamente, y es en el ámbito de los conflictos destructivos donde la justicia penal tiene su campo de actuación» (Giró, 1998: 23). Con todo, en lo que a los procesos legales respecta, será necesario tener presente que «la ley es aquello que distingue la civilización y la anarquía. La ley limita el poder hegemónico de los gobiernos e impone el estado de derecho, pero como medio para resolver conflictos provee limitadas opciones. La ley es coercitiva más que consensual, jerárquica más que democrática, rígida y predeterminada más que flexible. Fabrica un perdedor. Fabrica un ganador. Crea ficción de objetividad. No hay lugar para los sentimientos heridos, no hay comprensión de la paradoja o del misterio. Es racional, pero carece de sabiduría» (Oyhanarte, 1996: 30).

Consensuar libre y voluntariamente procedimientos aceptables que resulten convenientes para avanzar en base a criterios más realistas ejerce, también, su atractivo. Para Six (1990: 186), «el primer beneficio de una verdadera mediación es el comunicar a cada uno que el aislamiento, los solipsismos, los encerramientos en sí mismo son nefastos, que una obertura es preferible, que vale más, bajo riesgo de ser herido, salir del caparazón y del fortín». El proceso mediador, como tal, promueve equidad en la comunicación y en los resultados, insta a la cooperación y a la cohesión, fomenta el ejercicio de libertades, así como la construcción y transferibilidad de aprendizajes. Con relación al conflicto, reduce hostilidades, busca mejores soluciones y no menos problemas, contempla objetivos a corto y largo plazo, ayuda a establecer límites, permite la circulación de verdades múltiples, evita fabricar ganadores y vencidos y se vincula al contexto. En cuanto a las personas, legitima nuestra diversidad, respeta la privacidad, parte de las aportaciones de cada uno, se integra en un proceso humanizador en el cual la persona es lo que más cuenta, responsabiliza ante uno mismo y ante la alteridad, habilita para la construcción de grupo y de comunidad, fortalece frente a las adversidades, ayuda a pensar por sí mismo, favorece el protagonismo y el liderazgo de la propia vida, confía en las potencialidades de todo el mundo y las desarrolla, estimula la reconciliación, reconstruye vínculos y establece nuevos lazos.

A pesar de los beneficios atribuibles a la mediación, resulta imprescindible tomar conciencia de que no en cualquier situación se pueden practicar mediaciones. Schvarstein (1997: 28) marca un claro límite indicando que «si el contexto no es "valorativamente congruente" o no se dan las condiciones para modificarlo, es mejor ni siquiera intentar la utilización de la mediación. Hacerlo significaría incurrir en el riesgo de ser cómplice de un doble discurso, y generar aún mayor frustración que la que existe con relación a la disputa. No debe "quemarse" una solución que parece socialmente instituyente mediante su uso irreflexivo».

Entre abogados y psicólogos hay un buen número de mediadores, ya que no en vano la mediación incorpora componentes terapéuticos y valores de justicia y equidad. La principal diferencia entre mediación, terapia y administración de justicia radicaría en el carácter claramente no directivo de los procesos mediadores (Giró, 1998, 2000). El terapeuta y el juez deciden aquello que es mejor para sus clientes unilateralmente, puesto que ellos se encuentran, por diferentes motivos, temporalmente privados de sus capacidades de decisión, precisamente por esto se someten a los expertos. Evidentemente, existen terapias más participativas que otras y lo mismo sucede en el ámbito legislativo –pensemos en el procedimiento arbitral, por ejemplo.

A fin de conducir un proceso de mediación resulta imprescindible, como se ha dicho y repetido, la plena participación de todos, es decir, que si alguna de las partes no está dispuesta, se halla debilitada, en peligro o, simplemente, opta por un proceso adversarial, será mejor paralizar el proceso en caso de haberlo iniciado. Así pues, la mediación no es un sustituto apropiado ni de la terapia ni del correcto ejercicio de la autoridad.[16] Tampoco debe utilizarse si una de las partes se ha visto impelida a participar bajo amenazas u otras prácticas coercitivas, o en caso de que tenga por objetivo la represión o la revolución (Brubaker y Kraybill, 1995).[17]

Añadiremos todavía otra diferencia remarcable: la horizontalidad de la comunicación que se produce en la mediación y que resulta inviable en procesos judiciales o terapéuticos. No sería adecuado poner la palabra de un juez al nivel de la de un delincuente, ni la de un terapeuta al de un paciente. El mediador no trabaja ni con los unos ni con los otros, exceptuando las funciones reparadora y reconciliadora hacia terceros, que tan sólo representan par-

16. Para más información, ver la tabla comparativa entre servicios legales, mediación y terapia en Folberg y Taylor (1998).

17. Autores referenciados en Stutzman y Shrock-Shenk (comps.) (1995).

te del problema. En la obra de Galtung (1998) titulada *Tras la violencia, 3R: reconstrucción, reconciliación, resolución*, se examinan las posibilidades de actuar constructivamente una vez la violencia ha hecho acto de presencia. Es dentro de esta línea de trabajo reparador donde la mediación ocupa un lugar, aunque jamás como vía de disculpa de crímenes, atentados o delitos graves.

Finalmente, señalaremos algunos de los principales errores y malentendidos que origina el desconocimiento de la mediación. En primer lugar, se cree que el mediador es un experto en resolver conflictos y que, por ende, bastará con traspasarle los problemas, nuevamente desapropiándonos de ellos, para que les encuentre una buena solución. Siempre resulta decepcionante descubrir que el mediador no está en posesión de una varita mágica o de una fórmula secreta que, una vez administrada, nos permitirá alcanzar nuestras pretensiones. También se piensa que sentarse cara a cara con aquellos que, bajo el propio punto de vista, entorpecen nuestro camino permitirá dar continuidad a la confrontación, ahora ante una persona que nos sabrá reconocer y otorgar la razón.

Durante las situaciones conflictivas, se acostumbra a producir un cierto bloqueo cognitivo que induce a creer que la única forma de afrontar el conflicto es hacerlo desaparecer. Lógicamente se debe vencer esta primera resistencia para poder acceder a una elaboración interpersonal de los conflictos y a la creación de significaciones sociales consensuadas. La mediación no es tampoco la vía suave de conseguir aquello que pretendemos desde la seguridad y confianza en las propias capacidades argumentativas y de convicción. Como ya se ha dicho, la lógica mediadora es ternaria y el proceso comunicativo se aproxima más a la creación abierta de alternativas que al debate binario.

Tampoco es correcto pensar que en un proceso de mediación se pueda acordar cualquier cosa; en realidad, se debe luchar para que las decisiones sean de la mejor calidad posible. Afortunadamente, la mediación no comporta renunciar a aquello que legalmente le corresponde a cada uno. Y ya para acabar, nos gustaría incidir en el hecho de que afrontar los conflictos no es tanto cuestión de técnicas como de actitudes; por ende, la implicación no se da únicamente a nivel cognitivo, sino también socioafectivo y axiológico.

3

Modelos de mediación

Anteriormente hemos identificado tres elementos presentes en todo encuentro de mediación: las personas participantes, la situación conflictiva que las afecta y el proceso de comunicación que se establece entre ellas. El mediador, en su función coparticipativa, se ocupa de preparar el escenario de manera que los protagonistas puedan desarrollar los objetivos que se han fijado. También es responsable de que en el espacio y el tiempo, en el lugar denominado mediación, circulen valores positivos y constructivos, expresados según las particularidades de cada contexto y, no obstante, de alcance y validez universal. Sin embargo, la axiología y la formación del propio mediador sesgarán los contenidos del escenario mediador hacia uno u otro de los ejes: persona, conflicto o proceso. De forma que el eje central estará continuamente enfocado y mientras los otros dos jugarán un rol auxiliar haciendo resaltar el ingrediente que, en cada caso, se considera principal.

Previamente a la caracterización de cada uno de los tres modelos y tan sólo a modo de introducción, diremos que cuando se tiende a pensar que el acuerdo en una situación determinada es la meta a conseguir, no se hace prescindiendo de las personas ni del proceso, ya que se interpreta que los protagonistas satisfarán mejor sus necesidades y, de resultas, el proceso será más exitoso. Cuando lo que se persigue es el crecimiento personal, se piensa que el conflicto se redimensionará con la mejora de las relaciones y el proceso, en sí, será educativo. Igualmente, si el acento se pone en las historias que narran los protagonistas y en cómo se comunican entre ellos, los aspectos relacionales y el conflicto cerrarán el circuito. Se podría decir que los tres modelos ponen su atención en la obtención de un acuerdo, el crecimiento personal y la construcción de historias, si bien el orden de prioridades, aquello que se enfoca en primer plano, varía.

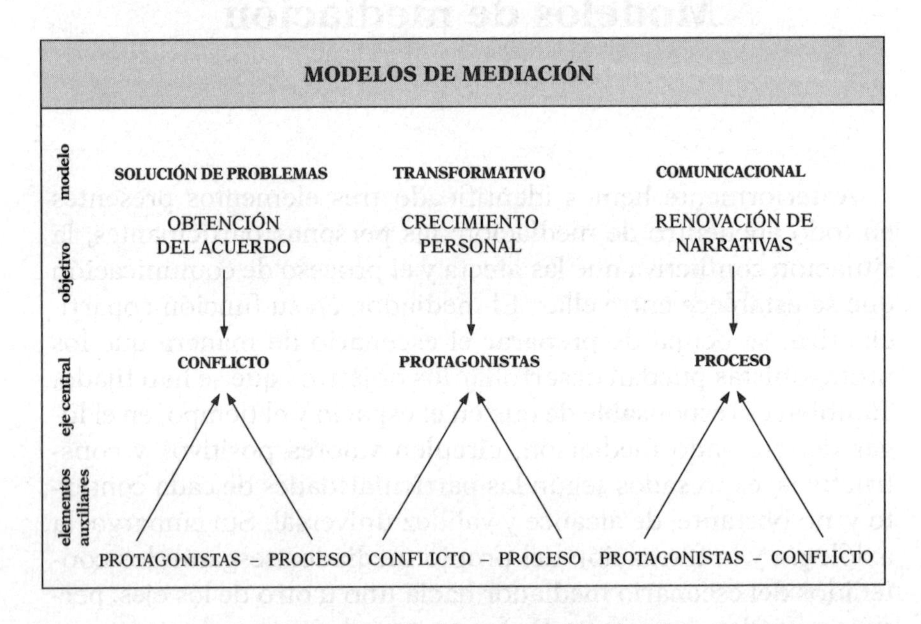

FIGURA 3. Modelos de mediación.

El modelo de solución de problemas (Burgess y Burgess, 1997), también denominado modelo directivo (Bush y Folger, 1996), tradicional lineal (Suares, 1997), *content mediation* (Pruitt, 1981), *agreement-centerd* o *labor model* (Burton y Dukes, 1990), se asocia usualmente a la escuela de negociación de Harvard y a sus investigadores principales, Robert Fisher y William Ury. En general, es definido por quienes lo preconizan como un método alternativo de resolución de conflictos conducido por un mediador neutral e imparcial que dirige a las partes en la negociación de un acuerdo mutuamente aceptable. Burton y Dukes (1990) identifican el modelo centrado en el acuerdo con el *labor-management* practicado por el Federal Mediation and Conciliation Service, mientras que Burgess y Burgess (1997) consideran que la diferencia entre solución de problemas y *labor-management* radica en que este segundo enfoque suele estar más estructurado.

Si bien las partes conservan todo el poder de decisión, la filosofía subyacente las guía focalizando la comunicación hacia los puntos en común, concentrándose en los aspectos sustantivos del conflicto, neutralizando los elementos subjetivos –emociones y percepciones– y minimizando el componente interaccional. Por todo ello, se suele atribuir al modelo de solución de problemas una visión de las situaciones conflictivas analítica, pragmática, lineal, cosificada y externa. A la hora de explicar la importancia concedida a la consecución de un acuerdo aceptable para las dos partes, antes que al logro de una verdadera triangulación en la comunicación[1] y en el pensamiento, Bush y Folger (1996: 74) vinculan este modelo con la que han dado en denominar *historia de la satisfacción*, donde «la premisa del enfoque es que la tarea del mediador, y la meta del proceso, es ayudar a descubrir soluciones óptimas para los problemas de las personas enfrentadas, satisfaciendo de este modo las necesidades de ambas».

El respeto por el individuo, rasgo definitorio de las culturas occidentales, juntamente con la fe en los progresos tecnocientíficos y la sociedad del bienestar, se asientan en la base del modelo de solución de problemas puesto al servicio hasta cierto punto continuista de esta concepción social. La crítica cultural considera que el enfoque de solución de problemas representa una tendencia descontextualizada, en tanto en cuanto preconiza una mediación técnica, que olvida los componentes artísticos que permiten particularizar y enfocar los procesos de me-

1. Según indica Suares (1997: 59), con relación al modelo de solución de problemas, la función del mediador es ser un «"facilitador de la comunicación" para poder lograr un diálogo que es entendido como una "comunicación bilateral efectiva"».

diación enraizados en tradiciones socioculturales y espirituales diferentes.

Un segundo modelo sería el conocido como mediación transformativa, denominada también no directiva, *relationship-centered* (Burton y Dukes, 1990), *process mediation* (Pruitt, 1981) y, en ocasiones, terapéutica; se asocia a R.A.B. Bush y a J.P. Folger y al entorno menonita, entre otros. Burton y Dukes (1990) proponen como modelo de mediación *relationship-centered* al Community Relations Service, creado en 1964 por el Departamento de Justicia para intervenir en conflictos relativos a discriminación por motivos de etnia, color, cultura, etcétera. Para Burgess y Burgess (1997), la distinción entre mediación terapéutica y transformativa viene determinada por el hecho de que la primera se centra en las causas psicológicas y emocionales del conflicto a la hora de buscar una salida al mismo. Horowitz (1998: 39) apunta que «la mediación transformadora permite a las partes capitalizar los conflictos como oportunidades de crecimiento. Las dimensiones transformadoras de la mediación están relacionadas con una visión emergente superior del yo y de la sociedad, una visión basada en el desarrollo moral y las relaciones interpersonales más que en la satisfacción y la autonomía individual. Es la proposición de un cambio importante –un cambio de paradigma–, que va de una concepción individualista a una relacional». En esta síntesis de los fundamentos de la tendencia transformativa, la mediación no aparece como una alternativa, sino que propugna un cambio paradigmático que le confiere una entidad singular.

Aquí, la concepción del conflicto es emergente, holística y dialéctica. Pugliese (1999: 131, 133) señala que «dentro del pensamiento binario, fue la autonomía lo que guardó un lugar de primacía respecto de la dependencia. [...] Muchos de los conflictos o las disputas se construyen por la ausencia de reconocimientos mutuos y la incapacidad de establecer una dependencia saludable». Por lo tanto, se comprende que el elemento humano ocupe un lugar preeminente, poniendo así de manifiesto la coconstrucción de las situaciones conflictivas desde una lógica, ahora sí, ternaria.

La transformación del conflicto, entendida como cambio, puede interpretarse descriptivamente (cambios a nivel social) y prescriptivamente (intervenciones deliberadas para efectuar los citados cambios). En ambos niveles la transformación opera en cuatro dimensiones interdependientes, a saber, personal, relacional, estructural y cultural (Lederach, 1995).[2] La dimensión personal se refiere a los cambios efectuados y deseados por los individuos con relación a los aspectos emocionales, preceptuales y espirituales del conflicto. Desde una perspectiva descriptiva, el conflicto afectaría a las personas positiva y negativamente (bienestar físico, autoestima, estabilidad emocional, capacidad de percepción e integridad espiritual); prescriptivamente, la transformación representaría el intento de minimizar los efectos destructivos del conflicto y maximizar el potencial de crecimiento de la persona como ser humano física, emocional y espiritualmente. La dimensión relacional trata de los cambios efectuados y deseados en relación a la afectividad, interdependencia y los aspectos expresivos, comunicativos e interactivos del conflicto. Descriptivamente, la transformación se ocuparía de los efectos producidos por el conflicto en los patrones de comunicación e interacción (percepciones propias y del otro, interés en la relación, grado de interdependencia real y deseado, movimientos reactivos y proactivos). A nivel prescriptivo, la transformación representaría una intervención intencionada dirigida a minimizar los efectos de una comunicación deficiente y a maximizar, por el contrario, en términos de efectividad e interdependencia, la comprensión mutua de temores, esperanzas y objetivos de las personas implicadas en el conflicto. La dimensión estructural subraya las causas subyacentes del conflicto, los patrones y cambios que comporta en las estructuras sociales con relación a las necesidades humanas básicas, acceso a los recursos y patrones institucionales de toma de decisiones. A nivel descriptivo, hace referencia al análisis de las condiciones sociales que propician los conflictos y los cambios que los mismos suponen en las estructuras existentes y en los modelos de toma de decisiones. Prescriptivamente, se orienta

2. Uno de los varios autores de la recopilación realizada por Stutzman y Shrock-Shenk (1995: 48-49).

a descubrir aquellos elementos que fomentan las expresiones violentas y a promover abiertamente la no violencia minimizándola, impulsando las estructuras susceptibles de satisfacer las necesidades humanas básicas (justicia sustantiva) y maximizando la participación de las personas en aquellas decisiones que las afectan (justicia procedimental). Finalmente, la dimensión cultural se refiere a los cambios que el conflicto produce en los patrones culturales de un grupo y en las formas en que una cultura afecta al desarrollo y conducción del conflicto. Descriptivamente, se interesa en cómo el conflicto cambia los patrones culturales de un grupo para entender y responder a los conflictos. A nivel prescriptivo, la transformación intenta hacer explícitos los patrones culturales que generan violencia y a identificar, promover y construir los recursos y mecanismos que, desde dentro de la propia cultura, pueden contribuir a elaborar respuestas constructivas al conflicto.

En este modelo, la actividad del mediador, más cercana al arte que a la técnica, se centra en las personas, verdaderos líderes de la situación que se disponen a explorar. En el proceso cobran tanta importancia los puntos coincidentes como los divergentes, ya que se persigue la mejora personal en base a la revalorización y al reconocimiento.[3] Para Horowitz (1998: 40), «la transformación es una "clase" diferente de meta. Implica cambiar no sólo las situaciones sino también a las personas y, por lo tanto, a la sociedad en su conjunto».

Los rasgos distintivos de la práctica transformativa serían (Folger y Bush, 2000):

- Describir el papel y los objetivos del mediador en términos de *empowerment* y de reconocimiento.
- No sentirse responsable por los resultados de la mediación.
- Negarse conscientemente a emitir juicios sobre las opiniones de las partes.

3. «En su expresión más simple la "revalorización" significa la devolución a los individuos de cierto sentido de su propio valor, de su fuerza y su propia capacidad para afrontar los problemas de la vida. El "reconocimiento" implica que se evoca en los individuos la aceptación y la empatía con respecto a la situación y los problemas de terceros» (Bush y Folger, 1996: 21).

- Adoptar una visión optimista de la capacidad y las motivaciones de las partes.
- Focalizar el aquí y ahora en la intervención en torno al conflicto.
- Ser sensible a las formulaciones de las partes sobre los hechos del pasado.
- Considerar la intervención como un punto en una secuencia más amplia de la interacción de conflictos.
- Experimentar una sensación de éxito así que se aprecia un mínimo grado de recuperación de poder y reconocimiento.

De entre las críticas que recibe el modelo transformativo, Martínez de Murguía (1999: 40) señala que «para la visión pragmática no es razonable creer que unas cuantas sesiones de mediación, por ejemplo, puedan modificar pautas de comportamiento que llevan años o décadas produciéndose y que incluso son avaladas y consentidas culturalmente».

El modelo comunicacional más extendido sería el denominado *circular-narrativo* tal y como lo han desarrollado Sara Cobb y sus discípulos. La comunicación es vista como el elemento que abarca los contenidos del conflicto (componentes verbales o sistema de comunicación digital) y a la vez las relaciones (componentes no verbales o sistema de comunicación analógica). En este sentido, la corriente circular-narrativa, como ya hemos anticipado, tomaría una postura ecléctica con relación a los modelos de solución de problemas y transformativo. La misma Sara Cobb (1997a: 98) declara que «se supone que la regulación del proceso de la mediación funciona con independencia de la regulación del contenido, pero la perspectiva narrativa cuestiona esta distinción». Y Suares (1997: 63) lo precisa afirmando que «el modelo circular-narrativo tiene la ventaja de su gran aplicabilidad al estar centrado tanto en las relaciones como en los acuerdos».

El conflicto se interpreta como «una realidad socialmente creada y manejada comunicacionalmente, que surge en el seno de un contexto sociohistórico que afecta el significado y la conducta, y a su vez es afectado por esa realidad» (Folger y Jones, 1997: 14) y es tratado como una solución intentada que ha fracasado. A partir de aquí, será necesario cambiar los significados y explorar las diferencias entre las narrativas de cada parte para abrir las historias iniciales y verlas desde otro ángulo.

La intervención de los mediadores delimitaría dos grandes momentos en el proceso mediador: «en un primer movimiento, los esfuerzos y cuidados del mediador apuntan a limitar y encauzar operativamente una estructura de comunicación con algún grado de disfunción. [...] En el segundo movimiento, la mediación significa una apertura creativa de la comunicación entre las partes, instalando una relación de cooperación y de pensamiento constructivo» (Link, 1996: 136). La comunicación se considera un todo, de manera que los mediadores toman los elementos de las narraciones de cada uno de los protagonistas y, juntamente con ellos, rearman una nueva historia que desestabiliza la primera percepción del conflicto.

En lo relativo a los fundamentos teóricos de esta tendencia, cabría buscarlos en un conjunto de aportaciones que provienen de la terapia familiar sistémica, teoría general de sistemas, teoría del observador, construccionismo social, teoría de la narrativa, psicología social de Enrique Pichón Rivière, cibernética de segundo orden, teoría de la deconstrucción de Derrida y aportaciones de Focault, entre otras (Suares, 1997).

Por otro lado, desde la perspectiva del construccionismo social (Drake y Donohue, 2000; Fried, 2000; Gergen, 2000), se postula que la comunicación humana construye el mundo, no lo representa. Entonces, se entiende «la evolución de un conflicto enfocando no sólo las emociones, intenciones y creencias de los participantes –o sus intereses–, sino los dominios simbólicos, narrativos y dialógicos como el medio en que se construyen y transforman significados y prácticas y surgen identidades, mundos sociales y relaciones emergentes» (Fried, 2000: 25). Así pues, los diálogos que se establecen en el proceso mediador permiten proyectar nuevas posibilidades, crear a partir de incertidumbres y especular a partir de aquello que todavía no existe.

4

Descripción del proceso mediador

En este apartado iniciamos la reflexión en torno a la praxis de la mediación desde su vertiente más pragmática. Como ya se ha advertido, hay tres tendencias que se perfilan cada vez con mayor claridad, al menos a nivel teórico, definiendo objetivos diferenciados y matizando la formulación y organización del encuentro mediador. Nos referimos a los modelos recién expuestos de solución de problemas, transformativo y comunicacional como predecesores de matices, cruces y variaciones que el desarrollo incesante de la mediación va generando.

La descripción de los pasos del proceso de mediación en base a diferentes propuestas tendrá por objetivo captar la esencia de cada fase, más que establecer una mecánica mediadora. No en vano se ha mostrado que la mediación tiene un componente artístico determinante. Se trata de comprender y no de memorizar estrategias, recursos y dinámicas. En la mediación que inicialmente hemos tildado de *fast food*, de consumo rápido y poco nutritivo, se suelen enumerar las distintas etapas ignorando completamente el rico trasfondo que les otorga plena entidad. Las reflexiones que preceden el presente apartado han tratado de paliar, en parte, la carencia que acabamos de remarcar. Ni que decir tiene que consideramos del todo imprescindible el aprendizaje y dominio de aquellas técnicas que pueden contribuir al logro de los objetivos que se fijan los coparticipantes en el proceso de mediación. Igualmente, creemos que la formación de equipos de mediadores, en el seno de los cuales reflexionar sistemáticamente sobre la práctica, puede contribuir en gran manera al perfeccionamiento de la dinámica de la mediación, lo mismo a nivel teórico que práctico.

El desarrollo del proceso de mediación contempla un número diferente de fases dependiendo del autor que lo describe. Desde aquellos que caracterizan la mediación como una sucesión de dos grandes movimientos –exploratorio y propositivo– (Diez y Tapia, 1999; Link, 1996), pasando por aquellos que señalan cuatro (Suares, 1997), cinco (Calcaterra, 2002), siete (Folberg y Taylor, 1988), nueve (Acland, 1993), hasta quien distingue doce etapas diferentes (Moore, 1995). En realidad, y sin adentrarnos en un análisis detallado, los pasos que indica cada autor a la hora de conducir un proceso de mediación formal muestran muchas coincidencias, dependiendo del número total de fases de las escisiones en lo que bien podrían considerarse subfases del proceso.

4.1. Fases del encuentro de mediación

A efectos prácticos, utilizaremos como patrón del desarrollo de un proceso mediador el descrito por Lederach (1985, 1996). Ha influido en esta elección el vocabulario claro y cercano a las personas, alejado de tecnicismos aunque conceptualmente rico, con que el mencionado autor nos acerca a una mediación contextualizada, transformativa, que huye de la linealidad en pro de una concepción circular y dinámica.

El proceso de mediación comenzaría con unos movimientos iniciales (entrada) que darían paso a una interacción (cuéntame, situarse, arreglar) para finalizar con un último paso (acuerdo). Calcaterra (2000), a su vez, denomina las diferentes etapas: preliminar, enmarcamiento de la disputa, actuación de la disputa, cierre del proceso y rodaje, y las divide en estadios y pasajes que recorre y analiza minuciosamente.

En el momento de *entrada*, el elemento esencial sería la voluntariedad de los protagonistas que deciden participar en el proceso a la vez que autorizan la intervención de otra persona, el mediador. En este primer contacto con las partes, el mediador valorará la pertinencia, o no, de la mediación con relación al conflicto planteado, explicará claramente cómo se estructura el proceso y tratará de predisponer a las partes hacia la cooperación y participación activa generando confianza hacia sí mismo y hacia la mediación. Folberg y Taylor (1988: 39) ponen de manifiesto que «la manera como el proceso de mediación es iniciado determina cuánto esfuerzo deberá realizar el mediador para crear comprensión y aceptación de la mediación».

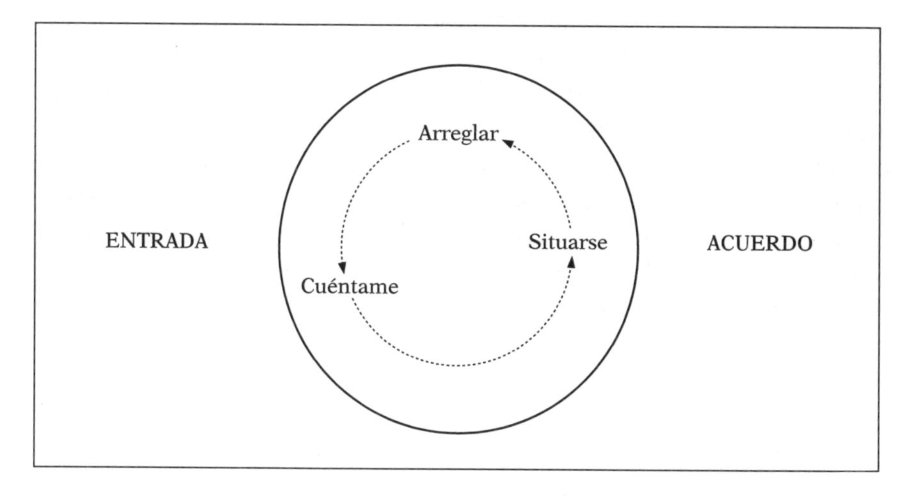

FIGURA 4. Esquema general del proceso de mediación (Lederach, 1996).

Los objetivos, pues, de estos contactos iniciales con las partes se resumirían en: promover la credibilidad, el *rapport* o capacidad del mediador para comunicarse con las partes haciéndolas sentir cómodas y acogidas, educar a las partes sobre el proceso y aumentar su compromiso hacia el procedimiento (Moore, 1995). Las formas de entrada variarán con relación a quién y cómo formula la demanda, que a su vez puede ser prescrita, expresada unilateralmente, bilateralmente, promovida por otras personas implicadas aunque no protagonistas del conflicto, y sin invitación explícita.

Seguidamente, una vez obtenido el consentimiento y compromiso de las partes, se acuerda una primera reunión conjunta.

Diez y Tapia (1999: 38) remarcan la importancia del espacio como recurso: «mientras más "personalidad" tenga ese espacio, mayor será la influencia del proceso de mediación en las partes. Y si dentro de él se puede funcionar con la regla del consenso, aun cuando fuera de la mediación las partes sigan enganchadas a todo tipo de peleas, la herramienta funcionará facilitando la resolución del problema». En este sentido, se procurará ubicar a las personas de manera que no queden confrontadas, puedan sentirse el máximo de cómodas y sea posible observar fácilmente los componentes analógicos de la comunicación.

Usualmente, la persona mediadora felicita a las partes por su presencia, legitima sus propias funciones, genera confianza, define el contexto como compartido y procede a la explicación de algunas normas que los participantes deberán conocer, aceptar y respetar durante el encuentro. La voluntariedad tanto de los protagonistas como del mediador de seguir en el proceso, la postura independiente y no partidista del mediador, el respeto a la confidencialidad de los intercambios y el liderazgo total de las partes en cuanto a los compromisos que se puedan adoptar y a su nivel de implicación en el proceso serían las más fundamentales. Se anima, también, a las partes a solicitar las aclaraciones que crean pertinentes, a evaluar otras vías posibles de afrontar el conflicto y a mostrar abiertamente sus reservas. Esta etapa se sostiene sobre tres pilares fundamentales, a saber, la deconstrucción del conflicto, la reconstrucción de la relación y la coconstrucción de la solución (Calcaterra, 2002), que orientan ya los primeros pasos en estas tres direcciones.

Por otro lado, el mediador suele solicitar *feedback* a las partes, es decir, que le retornen la información para asegurarse de que ha sido bien comprendida. Las reglas básicas restantes –dejar hablar sin interrumpir, ser respetuoso a la hora de expresarse, celebrar reuniones privadas o *caucus*, la duración de los encuentros– pueden consensuarse conjuntamente, contribuyendo así a reafirmar el protagonismo de las partes y la flexibilidad del proceso. Kraybill (1995: 148)[1] concede una importancia crucial a

1. Este texto se incluye en la ya citada recopilación de Stutzman y Shrock-Shenk (1995).

los primeros minutos en que «las partes en disputa vienen con una historia de comunicación pobre; desconfiando el uno del otro y de lo que puede suceder aquí. La única cosa que hace este encuentro diferente de los anteriores intentos infructuosos de comunicación es la presencia del mediador».

Cuéntame es el momento en que el mediador se dispone a escuchar activamente la historia de cada parte. Los protagonistas saben que dispondrán de un espacio en el que expresar sus sentimientos y puntos de vista, de un tiempo ininterrumpido (Liebman, 1995),[2] siendo probable que se trate de la primera ocasión en que realmente escuchen la historia completa desde la óptica de la otra persona. Las partes ventilan sus sentimientos, el mediador da *feedback* emocional y está atento a las reacciones no verbales de quien escucha.

Inicialmente, puede resultar difícil apreciar todas y cada una de las perspectivas; por este motivo, se necesita mantener confianza, ayudar a legitimar a cada parte haciendo que se sienta reconocida y capaz de una participación positiva, fomentar el reconocimiento y la revalorización interpersonal y, en definitiva, forjar un clima en el que sea posible el intercambio efectivo de mensajes. Se dedica el tiempo necesario a profundizar en las historias y a explorar la situación poniendo atención tanto al contenido como a la relación. Folberg y Taylor (1988: 47) sugieren que «durante el segundo estadio el mediador debe determinar la naturaleza de los conflictos subyacentes y manifiestos de los participantes utilizando los siguientes criterios de evaluación: inmediatez del conflicto, duración del conflicto, intensidad de los sentimientos sobre el conflicto y rigidez de posiciones».

El mediador parafrasea, reformula, clarifica, pregunta, mantiene el silencio... y así se va perfilando un sumario o agenda de las preocupaciones de los protagonistas. Ellos mismos van aprendiendo el uno del otro y advierten cuestiones que anteriormente no habían considerado, se modifican perspectivas y se despierta la curiosidad hacia la alteridad.

2. Para Liebman (1995: 445), el proceso de mediación consta de las siguientes fases: «obertura, tiempo ininterrumpido, intercambio, construyendo el acuerdo, escribiendo y firmando el acuerdo, cierre y seguimiento».

Siempre que se considere necesario, se pueden celebrar reuniones individuales o *caucus* con el objetivo de clarificar información, emociones, percepciones, intereses, etcétera, que en las reuniones conjuntas resultan más difíciles de revelar.[3] Igualmente, el *caucus* resulta apropiado en momentos en los que no se intuye la salida, cuando parece que no se tiene la confianza de alguna de las partes, se detecta falta de sinceridad, no nos acabamos de situar o bien es lo único que se puede intentar. Entonces, el mediador muestra empatía a la vez que procura aportar criterios de realidad sobre aquello que es posible conseguir en un momento en que todo el mundo reclama sus derechos. También se investiga sobre las soluciones intentadas, sobre qué aportaciones o concesiones cada persona estaría dispuesta a hacer y en qué consisten, en realidad, las demandas concretas que formula, o lo que es lo mismo, los intereses y necesidades que las sustentan.

En esta fase, el rol por excelencia de la persona mediadora consiste en escuchar y sus intervenciones van encaminadas a comprender mejor los hechos, los sentimientos implícitos y explícitos, las demandas específicas, las ofertas... con el objetivo de excavar en las historias y de progresar en la elaboración de una narración alternativa que redefina el conflicto preparando su posterior transformación.

En el momento de *situarnos*, el mediador procura pasar del *yo/tú* al *nosotros* definiendo la situación como compartida. En palabras de Lederach (1996: 8), «se trata ahora de enmarcar áreas de trabajo, de crear un marco común. Un marco de avance que ayude a clarificar en qué consiste el conflicto, y que a la vez dé algunas pautas sobre las que tenemos que seguir trabajando. Intentamos llegar a un entendimiento común del conflicto». La definición conjunta del conflicto resulta básica de cara a saber cuál es la situación y qué aspectos se quieren modificar. Se ha dicho, asimismo, que en la definición del problema se halla su solución. Tal aseveración indica que según el modelo de mediación practicado se intentará definir la situación maximizando los puntos en común (solución de problemas), explorando las diferencias como

3. Para más detalles sobre las reuniones parciales, ver Moore (1995: 414-426).

oportunidades (transformativo), o intentado crear caos para abrir las historias inicialmente ordenadas de las partes (comunicacional), lo cual, como es de prever, tendrá repercusiones en la delimitación de las futuras áreas de trabajo. De cualquier forma, resultará imprescindible aprovechar todas las ocasiones que se presenten para identificar sentimientos subyacentes, neutralizar ataques, pedir que se especifiquen las generalizaciones, aprovechar los ofrecimientos, acuerdos y puntos comunes encubiertos, así como evidenciar contradicciones.

Para *arreglar* la situación, generalmente se comienza a trabajar por un punto sencillo de abordar, de manera que los protagonistas se fortalezcan progresivamente y puedan mostrar reconocimiento hacia la otra parte a través de este proceso de colaboración. Sin embargo, algunos autores recomiendan acometer primero los temas de dificultad media, luego difícil y dejar para el final lo más fácil (Acland, 1993). Se busca reducir tensiones y hostilidades, aumentar un clima de confianza mutua y también hacia el proceso y mejorar las pautas de comunicación. Se regresa al momento de *cuéntame* ampliando nuevamente el espacio en común, microenfocando y fraccionando para poder *situarnos* de nuevo, comprender mejor y plantear caminos de entendimiento que permitan salir de la situación. Los coparticipantes en el proceso trabajan en la elaboración del listado de temas que desean explorar, el cual no debería ser excesivamente extenso. La agenda ha de ser comprensiva y común, formulada de forma sencilla y, en principio, genérica, aceptable y acordada por todos. No nos cansaremos de repetir que tan importante resulta trabajar en la búsqueda de soluciones como en la reconstrucción, mejora y establecimiento de relaciones.

La invención de soluciones creativas pasa por una fase de lluvia de ideas, seguida de la valoración y elección de las propuestas que ambas partes consideran más convenientes. Aquí, cabe tomar buena nota de las advertencias de Fisher y Ury (1991: 57) en relación con los impedimentos que pueden surgir y «que inhiben la invención de abundancia de opciones: 1) juicio prematuro; 2) búsqueda de una única respuesta; 3) la asunción de un "pastel" fijo; y 4) la creencia de que "solucionar su problema es su problema"». Se trata, pues, de descubrir qué está dispuesto a aportar cada uno y qué necesitaría para considerar aceptable una propuesta concreta.

Los momentos más creativos abren paso al liderazgo de las partes en la toma de decisiones y aceptación de compromisos en base a criterios consensuados. El mediador, en cualquier caso, actúa como agente de la realidad contribuyendo mediante sus preguntas a valorar la factibilidad, los costos, los cambios que supone, las limitaciones... de cada propuesta. También equilibra las diferencias de poder y fomenta la expresión de los sentimientos, el reconocimiento, la revalorización, el diálogo directo y la celebración de los progresos.

Finalmente, los protagonistas del conflicto trabajan para intentar ponerse de *acuerdo* elaborando un plan de acción común. Si ello no fuera posible, en el marco de la mediación, se debería poner en conocimiento de las partes qué otras vías tienen a su alcance, ya que tal vez les resulten preferibles de cara a seguir trabajando con el conflicto.

Casi siempre se redacta un documento que puede tener carácter formal o informal, si bien frecuentemente deberá ser ratificado a nivel institucional. En dicho escrito es necesario dejar bien claro quién hará qué y cuándo y cómo se actuará en caso de que surjan nuevas desavenencias. Kraybill y Brubaker (1995)[4] indican que los acuerdos deben ser específicos, equilibrados, realistas, positivos, claros y simples.

El momento final del encuentro posee una carga simbólica que presenta, a la par, oportunidades para el perdón y la reconciliación, la celebración de la labor realizada y de los aprendizajes generados conjuntamente. El marco de cooperación que se ha creado y la mejora de las relaciones son elementos valiosos a corto y largo plazo.

Dependiendo de cada contexto en particular, el proceso de mediación presentará variaciones en cualquiera de las fases enunciadas. Sin duda, una de las habilidades más importantes de un buen mediador consistirá en sintonizar con el entorno mediante su lenguaje, apariencia y comportamiento.

4. Autores referenciados en Stutzman y Shrock-Shenk (comps.) (1995: 178).

4.2. Coparticipantes en el encuentro de mediación

El encuentro de mediación exige la presencia activa de las personas que participan en él, bien sea el equipo mediador, bien se trate de los protagonistas del conflicto. Pensamos que la mediación, planteada como una tarea colectiva, aboca a la participación conjunta en la exploración de la situación conflictiva, precisamente por eso denominamos *coparticipantes* a todos los que toman parte en el encuentro. El escenario mediador no coloca uno enfrente del otro, sino codo a codo. Gracias a la triangulación de pensamiento y comunicación, se abren las historias, se resignifican los problemas y se elabora interpersonalmente un posible plan de acción.

El proceso de mediación es eminentemente humano, no requiere de instrumentos ni aparatos sofisticados, cada uno de los participantes aporta su visión del mundo, la comunica y acaso la modifica. Esta aproximación ayuda a aprehender la humanidad de la persona con quien no hay entendimiento, a pesar de que sus acciones no nos merezcan respeto alguno. Mediador y protagonistas realizan un recorrido único por un camino desconocido, sin señalizar, desafiante, lleno, sin embargo, de oportunidades para enriquecerse.

El análisis de las funciones del mediador descubre una realidad desconcertante que mueve a preguntarse «¿cómo se entiende un campo en el cual voluntarios impagados y practicantes con sueldos de seis cifras ejecutan sustancialmente un trabajo idéntico, o bastante legítimamente aspiran a ello?» (Bellman, 1998: 208). Lo cierto es que la denominación *mediador* se aplica a personas que realizan la tarea de intervenir en un amplio espectro de situaciones y procesos conflictivos, bien sea como expertos de renombre o como mediadores anónimos.

Consideramos que formar parte de un equipo proporciona al mediador la ventaja de reflexionar conjuntamente sobre la propia práctica y la de los demás, generando, así, aprendizajes contextualizados basados en la experiencia y encaminados a su mejora. En este modelo, la evaluación de la acción se integra en el proceso como un elemento de cualidad imprescindible.

El trabajo en *comediación*, es decir, en presencia de dos mediadores, reporta múltiples ventajas, entre las cuales se señalan:

la combinación de habilidades, la interdisciplinariedad, el modelaje de actitudes cooperativas, un mejor control de los prejuicios y sesgos, disminución de la tensión, división de tareas, aprendizaje mutuo, evaluación y planificación conjunta, formación en la práctica de mediadores novicios, la posible identificación de cada una de las partes con las características de los mediadores (edad, sexo, etnia, etc.) y la prevención en contra de supuestas acusaciones de partidismo. Algunos inconvenientes de esta práctica serían la necesidad de coordinación, delegación inapropiada de tareas, carencia de compenetración, coste económico superior, disponibilidad de mediadores y el hecho de tener que tratar en presencia de más personas vivencias dolorosas.

Las funciones vinculadas a la figura del mediador requieren formación, estilo personal y un código ético que impregne cualquier intervención. Partiremos, pues, del análisis del rol mediador con el propósito de identificar necesidades formativas, establecer un perfil personal y proponer los elementos éticos característicos de la mediación.

El trabajo de premediación se inicia mostrando interés por los participantes como personas que se encuentran en una situación difícil, escuchando el malestar que manifiestan y ofreciéndoles la opción de tomar parte en un proceso de mediación. Como mediador potencial, los primeros contactos con los protagonistas de la situación conflictiva tienen por objetivo conseguir: «1) una oportunidad de conocerse; 2) la oportunidad de indicar que estamos hablando con todas las partes, tal vez en una posición de comunicar ideas que actualmente no están siendo discutidas; y 3) alguna indicación del deseo de las partes de reunirse nuevamente con nosotros» (Kraybill, 1995).[5]

Una de las tareas más importantes de cualquier mediador consiste en obtener credibilidad, es decir, en conseguir que las personas inmersas en el conflicto otorguen un voto de confianza hacia su persona y hacia el proceso. Moore (1995: 98) recalca que «los mediadores deben afirmar su credibilidad frente a los participantes en el conflicto, desarrollando las expectativas de

5. Ron Kraybill (1995: 145-146) es uno de los VV.AA. referenciados en Stutzman y Shrock-Shenk (comps.) (1995).

éstos en el sentido de que el mediador y el proceso de mediación les ayudarán a resolver la disputa. Hay tres tipos de credibilidad: personal, institucional y de procedimiento». El prestigio de pertenecer a una organización, la reputación personal, las posibilidades de proporcionar recursos, el estilo propio,[6] la experiencia en el ámbito y la formación continuada se contarían entre los factores que contribuyen a confeccionar las credenciales del mediador. C. W. Moore (1997: 286) opina que «la aceptación por las partes del mediador como un auxiliar o "experto" viable es generalmente crítica para que el intermediario ayude a los disputantes a avanzar hacia el acuerdo». Si, a pesar de todo, una de las partes frustra unilateralmente la mediación antes de iniciarla negándose a tomar parte en ella, un último intento conduciría a preguntarle qué podría facilitar su implicación. En cualquier caso, es importante no juzgar, no presionar y mostrar discreción con relación a la información obtenida hasta el momento.[7]

A partir del instante en que se entra en el proceso, el mediador realiza una amplia variedad de funciones. Según Kriesberg (1973: 286-287), éstas «varían en cuanto al grado de intervención, desde proporcionar un lugar seguro y neutral para que los adversarios se comuniquen el uno con el otro, hasta sugerir soluciones al conflicto. En medio, se encuentran acciones del tipo: 1) proveer información sobre la naturaleza de los conflictos en general y sobre los puntos de vista de los adversarios en una disputa particular; 2) reducir las tensiones emocionales y otras barreras interpersonales ante la comunicación efectiva; 3) ayudar a los negociadores a pensar nuevas opciones para un acuerdo; 4) mejorar los procedimientos de negociación; 5) aportar recursos para compensar por las pérdidas asociadas con un acuerdo; 6) crear

6. También Moore (1995: 101-102) indica que «el principal factor de aceptabilidad de un interventor es probablemente el "rapport" establecido entre el mediador y los litigantes. [...] El "rapport" sin duda está definido por el estilo personal, el modo de hablar, el atuendo y los antecedentes sociales del mediador, los intereses comunes, los amigos o los colaboradores; y el grado de comunicación entre el mediador y los litigantes».

7. Suares (1997: 215) va mucho más lejos cuando afirma que «el paso siguiente es "amenazar" con las alternativas que quedan si abandona el proceso de mediación, que son: seguir con el sistema legal tradicional o seguir como están, y que cualquier cosa que ellos decidan, al mediador le va bien».

apoyo para el acuerdo entre los negociadores y sus representados».

Con el ánimo de ofrecer una panorámica de las actividades que llevan a acabo los mediadores, hemos recopilado algunos listados ciertamente exhaustivos elaborados por autores y autoras como Acland (1983), Bush y Folger (1996), Horowitz (1998) y Moore (1995). Cada uno de ellos pone el acento en determinadas funciones o roles que los mediadores desarrollan y que, tal y como se desprende de sus aportaciones, giran alrededor de los siguientes ejes:

- Disminución de hostilidades.
- Mejora de la comunicación.
- Aumento de la comprensión del conflicto, de uno mismo y del otro.
- Redefinición del conflicto.
- Renovación de las relaciones interpersonales.
- Fomento del pensamiento creativo.
- Trabajo cooperativo para la obtención de consenso.

Se advierte nítidamente que, en todos los casos, las funciones del mediador buscan, por uno u otro camino, fomentar el liderazgo de los protagonistas del conflicto. En palabras de Acland (1993: 192), «lo primero que debe tener claro un mediador es que él es un "invitado a la mediación"».

FIGURA 5. Funciones del mediador
(a partir de las aportaciones de varios autores).

A. F. Acland (1993: 40)
• Reducir la hostilidad y establecer una comunicación eficaz. • Ayudar a las partes a comprender las necesidades y los intereses del otro. • Formular preguntas que pongan de manifiesto los intereses reales de cada parte.

FIGURA 5. (continuación)

• Plantear y aclarar cuestiones que han sido pasadas por alto, o que no han recibido la suficiente atención. • Ayudar a las personas a concebir y a comunicar nuevas ideas. • Ayudar a reformular las propuestas en términos más aceptables. • Moderar las exigencias que no son realistas. • Comprobar la receptividad de nuevas propuestas. • Ayudar a formular acuerdos que resuelvan los problemas actuales, salvaguarden las relaciones y permitan prever las necesidades futuras.
R. B. Bush y J. Folger (1996: 383)
• Ofrecer sumarios de las opiniones y posiciones de las partes sin reformular sustancialmente lo que las partes dijeron. • Traducir los enunciados de una parte de modo que la otra tenga mayores probabilidades de entenderlos con precisión y considerarlos con simpatía. • Aportar posibles reinterpretaciones de los actos o los motivos de las partes, sin tratar de convencer a los litigantes de que determinada interpretación es necesariamente válida o más adecuada. • Utilizar los diálogos de modo tal que ayuden a cada parte a comprender sus propias decisiones y a considerar la perspectiva de la otra. • Alentar y ayudar a las partes a evaluar alternativas y adoptar decisiones sin conducirlas en determinada dirección. • Formular preguntas que revelen de qué modo cada parte quiere ser vista por la otra. • Redactar acuerdos que reflejen los logros transformadores de la sesión.
S. Horowitz[8] **(1998: 249-250)**
• Analista: el analista ayuda a las partes a mirar su problema de nuevos modos. El/la mediador/a estimula a los disputantes a reflexionar en profundidad acerca del conflicto y las cuestiones involucradas. Con-

8. Adaptación del *Mediation Inventory for Cognitive Roles Assessment (MICRA)*, el cual define nueve roles cognitivos de cara a explorar las pautas de comunicación en mediación. Para más información, ver la fuente original: Guerra, N. y Elliott, G. (1996). «Cognitive roles in the mediation process: development of the "Mediation Inventory for Cognitive Roles Assessment"», *Mediation Quarterly, vol. 14, nº. 2.* San Francisco: Jossey Bass Publishers.

FIGURA 5. (continuación)

servando la neutralidad respecto de las cuestiones definidas, el analista examina el conflicto separándolo, sosteniéndolo, dándole vuelta en un esfuerzo por hallar lo esencial del problema y la razón de la posición de los disputantes. El analista busca intereses comunes, compromisos compartidos que trascienden el conflicto y sobre los cuales las partes no son conscientes, pero que permiten enunciar un terreno en común o un área no conflictiva.

- Catalizador: inicia la comunicación entre los disputantes, asume la responsabilidad de brindar información pertinente y la motivación necesaria para que una parte interactúe con la otra. El rol catalítico se puede observar en preguntas abiertas que mantienen el diálogo fluido.
- Crítico o cable a tierra: es el test de prueba de realidad. Hace preguntas y ayuda a redefinir el problema de modo que facilite la resolución. La función crítica del mediador lo lleva a preguntar, indagar aun las cuestiones que parecen obvias, aclarar interpretaciones no pertinentes, basadas en supuestos largamente sostenidos.
- Definidor-Reenmarcador: define la ayuda formal e informal, trayendo sentido de orden al caos de las visiones diferentes de los disputantes. Define el conflicto de modo tal que los disputantes lo puedan comprender, pues las realidades de ambos son incorporadas en la definición. Al reenmarcar, escucha las proposiciones de las partes y las presenta de modo tal que legitima el punto de vista de ambos disputantes.
- Monitor emocional: da *feedback*, guía y mantiene el clima emocional a través de la sesión. Su tarea consiste en reflejar las emociones expresadas y las implícitas y brindar *feedback* cuando sea apropiado. Es también sensible a las necesidades emocionales en la negociación y al escribir el acuerdo; puede usar el humor para aliviar tensiones. Estimula a las partes a seguir trabajando juntas cuando comienzan a desalentarse.
- Traductor-Intérprete: clarifica y explica la visión y las preocupaciones de cada disputante. Esto sucede para asegurarse de que cada uno comprenda la visión del conflicto de la otra persona y ayudar a ver el marco de referencia del otro. También puede involucrar el asegurarse de que las partes consideran la realidad en la que se sitúan, cómo el conflicto afecta esa realidad y cómo una solución podría o no ajustarse a esa realidad.
- Sintetizador: revisa la información sintetizada para clarificarla, negociar y construir un acuerdo. Al escribir el acuerdo, incorpora ambas realidades, ayudando a crear un acuerdo homogéneo y bien equilibrado. Junta las partes, los puntos de interés común y facilita

FIGURA 5. (continuación).

el proceso de formar un acuerdo que sea igualitario y aceptable para todos. • Monitor de tarea: cuida y mantiene el proceso, *se encarga de* que el proceso funcione, establece y refuerza las reglas básicas, recuerda a los litigantes sus prioridades y determina cuándo el *caucus* es necesario. Determina cuándo el proceso no satisface las metas de la mediación y puede dar por terminado el mismo. Es el experto que remueve obstáculos para el progreso, recuerda a los disputantes sus metas y reencausa las discusiones absurdas al preguntar: «¿Qué quiere usted obtener de la sesión?»
C. W. Moore (1995: 51)
• Es el «instructor» que educa a los negociadores novicios, inexpertos o sin preparación, formándolos en el procedimiento de negociación. • Es el «multiplicador» de los recursos que suministra asistencia procesal a las partes y las vincula con expertos y recursos externos, por ejemplo abogados, peritos, factores de decisión o artículos adicionales para el intercambio, todo lo cual puede permitirles ampliar las alternativas aceptables de resolución. • Es el «explorador de los problemas» que permite que las personas en disputa examinen el conflicto desde diferentes puntos de vista, ayuden a definir cuestiones e intereses fundamentales y busquen opciones mutuamente satisfactorias. • Es el «agente de la realidad» que ayuda a organizar una resolución razonable y viable, y cuestiona y se opone a las partes que afirman metas extremas o poco realistas. • Es la «víctima propiciatoria» que puede asumir parte de la responsabilidad o la culpa por una decisión impopular que las partes de todos modos estarían dispuestas a aceptar. Esto les permite mantener su integridad y cuando tal cosa es apropiada, obtener el apoyo de sus propias bases. • Es el «líder» que toma la iniciativa de impulsar las negociaciones mediante sugerencias de procedimiento, y a veces de carácter sustancial.

Otro de los autores que más énfasis ha puesto a la hora de remarcar el liderazgo de las personas que voluntariamente participan en el proceso de mediación –y que, en nuestro caso, denominamos protagonistas– es Jean-François Six, quien declara que «el verdadero mediador es quien velará para que los antagonistas no se remitan a él con demasiada facilidad, quien les empujará sin cesar a implicarse por sí mismos y a "obrar" su libertad: les corresponde a ellos, por sí mismos, a fin de cuentas, crear un vínculo nuevo, siendo el mediador nada más que un catalizador momentáneo. Se comprende también que, en la confusión en que se encuentran, sumidos en conflictos penosos, interminables, puedan ser atraídos por falsos mediadores, charlatanes, gurús, prometedores de milagros, quienes utilizan la situación en provecho propio» (Six: 1990: 12).

El mediador, empero, no es un ente pasivo que avanza a remolque de los protagonistas del conflicto. Muy al contrario, requiere un elevado grado de madurez emocional y de autocomprensión, empatía, autenticidad y una concepción positiva y liberal de las relaciones humanas. Por ello, acoger a los protagonistas manteniéndolos activos y centrados en el logro de los propósitos anteriormente mencionados –disminución de hostilidades, mejora en la comunicación, aumento de la comprensión del conflicto, de sí mismo y de la alteridad, redefinición del conflicto, renovación de las relaciones interpersonales, fomento del pensamiento creativo y trabajo cooperativo para la obtención de consenso–, sin estar investido de ningún tipo de poder, acarrea, sin duda, una gran responsabilidad. Para vencer el dualismo que se instala en las personas en conflicto hasta conseguir que se definan como interdependientes y cooperen en la apropiación de una situación que tan sólo a ellas pertenece, se requiere un conjunto de habilidades forjadas no únicamente de técnicas sino arropadas por un universo de valores.

Finalmente, creemos pertinente incluir la evaluación entre las funciones ineludibles del mediador. Una evaluación entendida como disciplina que permite retroalimentar la acción favoreciendo la reflexión con relación a los aspectos que funcionan tal y como deseamos y, a su vez, en torno de aquellos elementos que podemos mejorar o cambiar. Conbere (1995),[9] por ejemplo, propone un cuestionario de autoevaluación fácil de aplicar y basado en la premisa de que se deben ofrecer a los protagonistas tres ga-

9. John Conbere (1995: 259) es uno de los VV. AA. agrupados en la obra editada por Stutzman y Shrock-Shenk.

rantías: una sensación razonable de seguridad, la impresión de que han sido comprendidos y la creencia de que el resultado conseguido es bastante justo.

La proliferación de la mediación ha abierto el debate en torno de la formación de los mediadores. En estos momentos, «en Estados Unidos, no existe un procedimiento estándar de certificación para los mediadores, si bien el tema ha estado bajo consideración durante años» (Burgess y Burgess, 1997: 192-193) y podemos afirmar que otro tanto sucede a nivel internacional.

La Society of Professionals in Dispute Resolution (SPIDR),[10] tras debatir la cuestión en profundidad, ha llegado a la conclusión de que, si bien los mediadores han de estar cualificados, no hay una definición unitaria sobre qué implica tal cualificación. Obviamente, la mayoría de centros exigen algún tipo de certificado que, en ocasiones, es expedido por organizaciones como, por poner un ejemplo, la Academy of Family Mediators (AFM),[11] entre otras muchas. Algunos mediadores se forman específicamente para cumplir esta función, no falta quien puntualiza que «es tan grande el cambio de perspectiva que implica ser mediador, que ésta es una disciplina diferente» (Schiffrin, 1996: 43). Sin embargo, lo más usual es que se trate de un complemento a una formación de base preexistente. Folberg y Taylor (1988: 244) advierten que «los malos tiempos en economía pueden abocar a profesionales marginales de muchos campos a lo que se divisa como una industria en desarrollo» y, en consecuencia, creen que estar en posesión de algún tipo de acreditación «puede proveer una protección adecuada al público hasta que sea más evidente la necesidad de obtener una licencia y mayores conocimientos acerca de cómo proteger mejor al público» (op. cit., 246).

La cualificación como mediador se puede adquirir, a nivel universitario, en todo tipo de programas –pregraduado, graduado y posgraduado–, anejos a las disciplinas más diversas y bajo las denominaciones más variadas: estudios de paz, negociación, resolución de disputas, regulación de conflictos, derechos humanos,

10. Actualmente integrante de la Association for Conflict Resolution (ACR).
11. También reconvertida en ACR.

seguridad nacional, etcétera. Diferentes objetivos y aproximaciones se han ido desarrollando alrededor de unas vetas principales, entre las cuales se identifican claramente el estudio de las relaciones internacionales, las relaciones laborales, la irenología, los movimientos sociales y el sistema legal. En conjunto, ello ha originado una oferta amplia y rica que, en Estados Unidos, se traduce en una gama de propuestas que supera con creces los cuatrocientos programas solamente del entorno universitario.[12]

La duración de la formación es también variable e invita a proseguir en el continuo perfeccionamiento de la práctica. Las propuestas –atendiendo a los cursos que pueden consultarse vía Internet– son prácticamente inagotables, hecho que facilita el intercambio y la profundización vinculados a necesidades concretas. El correlato a la cantidad de ofertas parece que no siempre es la calidad de las mismas. Burgess y Burgess (1997) constatan que «ya que la formación suele ser tan lucrativa como la mediación, algunos mediadores con relativamente poca experiencia ofrecen formación como suplemento a sus ingresos», por lo que resulta a todas luces aconsejable informarse cuidadosamente antes de elegir un curso.

La mediación, como es bien sabido, se aplica en los ámbitos más diversos interviniendo en conflictos entre personas, grupos o comunidades enteras. En cada entorno el proceso se adapta al contexto sociocultural, el cual le confiere especificidad. Algunos mediadores consideran imprescindible que aquellos que intervienen en un conflicto tengan conocimientos específicos con relación al ámbito concreto del que se trata, mientras que otros ponen el acento en los componentes más universales de la mediación y no creen necesario especializarse. Sea como sea, «la mediación, de innegable contenido metacognitivo, no es propiedad exclusiva de ninguna profesión ni disciplina, sino que ha de ser concebida como una renovada antropología y metodología comunicativa, unos tiempos y espacios de convergencia humana dúctil al servicio de personas e ideas en cada entorno sociocultural» (Riera y Sarrado, 2000: 51).

12. Una muestra de los programas a que nos referimos ha sido recopilada por Birkhoff (1998).

Los objetivos cognitivos, procedimentales y actitudinales que configuran la formación de los mediadores usualmente se estructuran alrededor de cuatro bloques: la comprensión de la naturaleza del conflicto, el desarrollo personal, la comunicación efectiva y el pensamiento creativo.[13]

En este sentido, se desarrollan estrategias para el análisis del conflicto: construcción, percepciones, dinámica, tipología, aspectos sustantivos, subjetivos e interactivos, contextualización, estilos de respuesta, posiciones y rol del poder, entre otras. También se reivindican las oportunidades para el reconocimiento y fortalecimiento interpersonales, autoestima, autoconcepto, revalorización, control de la ira, identificación de los sentimientos, expresión de las emociones, sensibilidad hacia los otros, tácticas curativas, etcétera. Empatía, comunicación analógica y digital, escucha activa, lenguaje asertivo y positivamente connotado y el arte de preguntar figuran entre las habilidades más preciadas. Finalmente, completan el abanico la invención de opciones, creación de alternativas, valoración de propuestas, cooperación en la toma de decisiones, criterios de realidad, etcétera.

Entre las actitudes resaltan la honestidad, tolerancia, dignidad, compromiso, responsabilidad, equidad y conocimientos relativos a los dilemas éticos que, como veremos más adelante, plantea la mediación.

A la hora de considerar procedimientos, Suares (1997: 245) clasifica las técnicas en microtécnicas, minitécnicas, técnicas y macrotécnicas: «dentro de las microtécnicas tenemos: a) en el modo interrogativo: las preguntas informativas, las preguntas desestabilizantes y/o modificadoras; b) en el modo afirmativo: la reformula-

13. Bazán (1996: 87) estima que «la práctica de la mediación es como un prisma en el que se reflejan y refractan múltiples competencias profesionales. Los sistemas de comunicación, los resguardos éticos y el encuadre normativo son, quizá, las más fuertes». Por su parte, Martínez de Murguía (1999: 125) especifica que «si tuviésemos que enumerar las habilidades mínimas personales y profesionales que se requieren para conducir adecuadamente una mediación, éstas se resumirían en lo siguiente: capacidad para controlar la ira de los participantes y reconducirla hacia el diálogo; habilidad para no tomar partido y resistir incluso a una personalidad manipuladora; capacidad para tener en la cabeza una perspectiva global del problema y para replantear y reformular algún asunto importante; creatividad para imaginar estrategias de intervención que eviten el estancamiento, y conocimiento suficiente del ámbito particular del conflicto».

ción, la connotación positiva, la legitimación de las posiciones de las partes, la recontextualización. 2) Dentro de las minitécnicas: la externalización, los resúmenes, el equipo reflexivo. 3) Dentro de las técnicas: la construcción de una historia alternativa. 4) Dentro de las macrotécnicas: el proceso del encuentro de mediación».

Se ha dicho, con razón, que la mediación, es una adisciplina que incorpora contenidos propios de muchas otras áreas del conocimiento. No obstante, un mediador no se educa a base de pegar parcelas de teoría o bien de acumular intervenciones en conflictos. La formación del mediador, siempre inacabada, incorpora un componente eminentemente autodidacta, dado que necesita de un cuestionamiento continuo para evolucionar. La actitud de búsqueda e investigación permanente, mucho mejor si es en equipo, contribuye a identificar espacios de sensibilidad, momentos de interacción y oportunidades de innovación en un campo poco pautado en que el mediador «cuando realiza un movimiento, no sabe cuál será el próximo» (Bush y Folger, 1996: 281).

Íntimamente relacionado con el rol del mediador, se halla el grado de control que éste ejerce sobre el proceso. Un mediador directivo[14] conduce a las partes hacia la consecución de un acuerdo aceptable, mientras que un mediador no directivo actúa más suavemente sobre la toma de decisiones y se concentra en el hecho de que el encuentro de mediación, como tal, permita que los protagonistas se expresen por sí mismos asumiendo el completo liderazgo del proceso.

Otro punto a tratar indica que el contexto, la personalidad y significación social de la persona mediadora serán las llaves de entrada al proceso de mediación. En un buen número de conflictos internacionales, la confianza de las partes recae en organismos, o personas, de renombre a las cuales se valora lo mismo por sus cualidades humanas que por su experiencia en anteriores intervenciones. En otras ocasiones, no obstante, la credibili-

14. Según Burgess y Burgess (1997: 184), «los mediadores del ámbito legal son más propicios que los mediadores privados o comunitarios a ser fuertemente directivos» debido a la mayor burocratización del entorno en que se desenvuelven, así como por la presión hacia un resultado rápido. En ocasiones, incluso son los abogados quienes negocian en representación de las partes.

dad del mediador radica en su completa independencia y anonimato con relación al conflicto.

Por supuesto, la compostura del mediador resulta esencial, ya que «su actitud de obertura y humildad, de escucha y de diálogo, permite un conocimiento mutuo y una responsabilización por ambas partes» (Díaz y Liatard-Dulac, 1998: 13). En lo concerniente a los protagonistas, las muestras de respeto hacia su dignidad y competencia resultan claves en el proceso; en relación consigo mismo, la mejor herramienta que posee el mediador es la humildad; en cuanto al proceso, se recomienda simplicidad y flexibilidad, naturalidad hacia el conflicto, legitimación con relación a emociones y pensamientos y, globalmente, espíritu de reconciliación.

En definitiva, cada mediador combina técnica y arte edificando un estilo propio construido sobre un universo propio de significaciones. El estilo personal del mediador es reconocido como un factor de peso en la intervención, metafóricamente comparable al almohadón en que los protagonistas reposan inquietudes y esperanzas. Los protagonistas del encuentro mediador necesitan, sobre todo, presentarse ante otro ser humano a quien, al reconocer como persona, invisten de la autoridad que les lleva a apercibirse a sí mismos y a los demás también como personas humanas. Esta es la esperanza inicial que permite aceptar nuevamente el liderazgo de la propia existencia y de los conflictos que en ella acaecen.

El ejercicio de la mediación plantea ciertas obligaciones hacia las partes, el proceso, los otros mediadores, el organismo pertinente, la profesión y ante el público en general u otras partes no representadas (Moore, 1995). Los códigos deontológicos importados de otras profesiones obedecen a finalidades diferentes y, en consecuencia, no reflejan con precisión la conducta moral a observar por el mediador (Folberg y Taylor, 1988). Entre las responsabilidades generales señaladas por la Society of Professionals in Dispute Resolution (SPIDR)[15] destacan la honestidad, in-

15. Esta asociación, a la que ya hemos mencionado antes, fue fundada en 1973 con el objetivo de promover la solución pacífica de disputas. SPIDR encargó a su comité ético la labor de desarrollar las normas de conducta profesional para negociadores, mediadores, árbitros, etcétera. Como resultado se elaboró el Documento de 2.

tegridad, imparcialidad y equidad del mediador. Una práctica correcta asegura la perfecta comprensión de las partes en el proceso, de los costes y de otras vías para canalizar el conflicto. El mediador evitará favoritismos, prejuicios y conflictos de interés, respetará el pacto de confidencialidad, promoverá el consentimiento informado, aceptará aquellos acuerdos que no perviertan el proceso y actuará con diligencia. Igualmente, estará obligado a formarse y mantenerse al día, a ofrecer su apoyo al conjunto de la profesión y a realizar una difusión honesta y apropiada de la misma.

Moore (1995) ha desarrollado un código de conducta personal que insta a informar exhaustivamente a las partes sobre la voluntariedad de participar, la libertad de decisión y la confidencialidad del proceso. El mediador debe mostrarse activo, neutral e imparcial, evaluar el peso de sus intervenciones, diferenciar entre mediación, terapia y consejo legal, conferir fuerza a una de las partes en pro de un acuerdo justo y perdurable, cuestionar los acuerdos que no respondan al interés público, solicitar la orientación de expertos siempre que lo crean conveniente y abandonar la mediación en aquellos casos constitutivos de delito, o cuando no se adelante o se planteen otras limitaciones.

Los códigos éticos elaborados hasta el presente suponen una primera aproximación a la conducta apropiada del mediador a la vez que plantean importantes disyuntivas. La *Encyclopedia of Conflict Resolution* (Burgess y Burgess, 1997) señala nueve dilemas a los que se enfrentan los mediadores en su práctica y que podrían traducirse en los siguientes interrogantes:

- ¿Hasta qué punto se debe ser un experto en el ámbito en el cual se practica la mediación?
- ¿Es posible no dejarse influenciar y mantenerse neutral e imparcial en todo momento?
- ¿Se debe respetar la confidencialidad a cualquier precio?
- ¿Cómo se puede garantizar que las partes actúan en base al propio consentimiento informado, libres de presiones y coerción?
- ¿Qué mediador sirve mejor a las partes, el directivo o el no directivo?

- ¿Dónde se establece, exactamente, la división entre mediación y terapia y mediación y abogacía?
- ¿Cómo sabe el mediador que el proceso no empeorará la situación de las partes?
- ¿Qué pasa cuando al menos una de las partes abusa del proceso de mediación?
- ¿Cómo responder a los conflictos de interés?

Si bien no hay una respuesta fácil para ninguno de los anteriores interrogantes, dado que cada proceso es único y matiza o desvía la óptica del mediador. En opinión de Williams (1999: 10), «el proceso de desarrollar buenos patrones éticos debe incluir una crítica rigurosa». No es de extrañar, pues, que el debate siga bien vivo.

Un último aspecto, todavía, afecta a la negligencia o mala práctica del mediador que puede ocasionar denuncias en el momento en que una de las partes ha vivenciado los efectos negativos del acuerdo alcanzado en el proceso de mediación. Hoy por hoy, la carencia de pruebas ha propiciado que los tribunales se abstengan, casi siempre, de condenar la actuación del mediador. Sin embargo, prácticamente todas las asociaciones o centros de mediación recomiendan dos formas de protección; la primera contempla la posibilidad de instar a los protagonistas a comentar o consultar las decisiones que están dispuestas a asumir con amigos o expertos; la segunda aconseja protegerse mediante un seguro.

La mediación no es una práctica instalada en un entorno axiológicamente neutral; obviamente, cada contexto social proyecta sus propios valores. Según Gil Martínez (1998), la sociedad actual se caracteriza por el ritmo acelerado, el pragmatismo, materialismo, mercantilismo, la confusión entre ética y estética y la obsesión por la imagen que, en conjunto, se ha denominado *posmodernismo*. La preferencia por la vida privada y el individualismo se traducen en frecuente insolidaridad. Se vive al día desconfiando de un futuro que se presiente desesperanzado y sin utopía posible. Normas y valores se dejan de lado en pro de una satisfacción inmediata y vacía. El saber y la cultura se confeccionan a base de datos inconexos, aislados, carentes de coherencia y sistematización que desorientan más que informan sobre el sentido de la propia existencia.

En un entorno tal, el mediador debe mostrar valentía, prudencia y rectitud. La valentía, cimentada en la solidaridad, conduce a actuar sin ningún poder; la prudencia invita a la invención y «evita que el mediador se convierta en un moralista; le invita sin cesar a enseñar a encontrar a los que se dirigen a él los caminos de su libertad» (Six, 1997: 180); la rectitud lo lleva a no ocupar los espacios de libertad de los protagonistas y a fomentar que éstos tomen las riendas de su situación.

Pasamos, seguidamente, a reflexionar sobre los verdaderos protagonistas de la mediación, denominados *mediores* por Six (1997), en un justificado intento por reconocer que son las personas en conflicto el motor y la razón de ser de la mediación.[16] A pesar de ello, sorprende advertir que hay más estudios sobre el conflicto o sobre el proceso que sobre los protagonistas de la mediación. Desde el ámbito de la negociación, se han desarrollado las investigaciones que actualmente se aplican a las partes obviando que, en última instancia, el objetivo primario de la negociación apunta lícitamente a la obtención de un buen resultado de cariz sustantivo, mientras que la mediación contempla integralmente a los seres humanos permitiéndoles abrir un paréntesis de reflexión y aprendizaje experiencial compartido.

Se puede aducir que las situaciones conflictivas abocan a las personas a una escalada de tensión, secretismo, sospecha, desconfianza, falta de comunicación, posicionamiento, etiquetaje, crisis... que conduce a la adversariedad basada en un razonamiento binario que no concibe la posibilidad de una reunión con la alteridad. Link (1996: 150) señala que «las partes de un conflicto están presas de una relación disfuncional que no les permite defender adecuadamente sus intereses. La mediación constituye una esperanza de poder escapar a los condicionamientos

16. «Proponemos "medior" como neologismo, que implica una desinencia activa (actor, inventor, etc.) para hablar de aquellos que, libremente, se dirigen a un mediador y quieren hacer de esta mediación una dinámica, su asunto, la búsqueda, por medio de su libertad, de una salida, por sí mismos, de su problema» (Six, 1997: 156; nota a pie de página nº. 295).

y trabas que les impone esa relación, en la cual se des-encuentran cautivas porque no pueden ni suspenderla ni modificarla».

Liberarse de la concepción determinista del conflicto y superar el bloqueo cognitivo que conduce a comportamientos meramente reactivos, alienantes al fin, sería la primera de un cúmulo de transformaciones que no desaparecen una vez terminada la mediación. Según Gottheil (1996: 223), «los individuos que se someten al proceso de la mediación no sólo tienen una disposición diferente frente a los conflictos de los que son parte. También pueden, como consecuencia de haber pasado por la mediación, tener una visión diferente del modo de relacionarse. Si este cambio se generaliza, puede llegar a modificar actitudes, costumbres y valoraciones».

Todo apunta a que tomar parte en un encuentro de mediación comporta un cambio de perspectiva desde la visión individualista del conflicto[17] a una visión relacional en la que la capacidad de cooperar será una herramienta importante.[18] De la misma manera, supone «dejarse interrogar por la cultura de los otros, y es ésta la que entonces hace el oficio de mediación para permitirnos penetrar mejor en nuestra propia cultura» (Six, 1990: 98). Una mentalidad abierta es, sin duda, una mentalidad en evolución, que rehuye el anquilosamiento para conectarse con el entorno social inmediato y global.

El desarrollo de nuevos modelos comunicacionales en que mediador y protagonistas coparticipan «implica haber garantizado un escenario de diálogo transformador no directivo y de interpretación rigurosa y responsable. La mediación otorga potencialidades y competencias a las partes y, por tanto, las habilita, en tanto las reconoce y valora como líderes de su proceso» (Riera y Sarrado, 2000: 54). En este sentido, la mediación es una instancia de autodeterminación y de ejercicio responsable de libertades, tal y como ya hemos puntualizado anteriormente.

17. Vinyamata (1998: 14) recuerda que «con frecuencia pensamos que hemos de optar por la idea de que tan sólo uno puede tener la razón, la verdad es única y, por tanto, únicamente puede existir una sola certeza».

18. Sobre la promoción de la cooperación destacan los estudios ya clásicos de Axelrod (1986).

Se reconoce a los protagonistas de la mediación el derecho a escoger mediador, decidir sobre su futuro, formular los propios problemas, acordar el curso de la acción y vivir las consecuencias de sus elecciones. Aunque también se les pide que se corresponsabilicen del conflicto mostrando su «deseo de reformar, reconstruir o alterar el curso natural del conflicto» (Oyhanarte, 1996: 29), que coparticipen activamente en su exploración, y que coconstruyan vías de consenso.[19] Apropiarse del conflicto y liderarlo exige el valor y la entereza de querer ejercer el derecho inalienable de la libre decisión y la aceptación de las limitaciones corriendo el riesgo de propiciar acciones equivocadas o erróneas. Abrirse a la presencia de la otra parte, reconocerla, discrepar de sus opiniones y, a pesar de todo, ser capaz de elaborar significaciones sociales consensuadas requiere, inicialmente, «admitir que nosotros también somos parte en el conflicto y que hemos echado leña al fuego. No importa cuán acertados nos creamos, o cuán terribles parezcan los demás, nosotros somos también parte de la escena. Para tener el deseo de resolver debemos cambiar interiormente» (Cornelius y Faire, 1995: 124).

En el momento en que las personas deciden entrar voluntariamente en un escenario mediador, ternario, prescindiendo del propio poder[20] para participar en un proceso de comunicación horizontal muestran, al menos, una actitud de obertura y una motivación inicial para intentar una vía pacífica y no excluyente de afrontar el conflicto. Desde esta perspectiva, «las partes pueden esperar del mediador imparcialidad, experiencia y responsabilidad, pero deben también ofrecerle los recursos necesarios para cumplir con su tarea» (Martínez de Murguía, 1999: 118).

Un buen proceso de mediación es aquel que alienta a los protagonistas a escucharse atentamente, tratando de comprender los puntos de vista del otro y reconociendo intereses y necesidades mutuas. Se intenta mejorar las relaciones y trabajar conjun-

19. Horowitz (1993) considera que a la hora de recurrir a la mediación las partes han de estar motivadas, hacerse responsables de sí mismas, estar dispuestas a discrepar, a encajar un *no* y a acordar.

20. Tal y como afirma Acland (1993: 158), «el hecho de centrarse en la capacidad y no en el poder alienta a la gente a hacer cálculos más realistas de su situación».

tamente en la búsqueda de soluciones a problemas compartidos; en última instancia, cuando no se establece un acuerdo, al menos se pueden pactar revisiones de la situación (Acland, 1993).

Finalmente, corresponde a los participantes actuar honestamente hacia la mediación «considerando reflexivamente los referentes éticos y socioculturales del entorno e interpelando, simultáneamente, los propios y los ajenos para alcanzar el "nosotros social"» (Sarrado y Riera, 2000: 48). No es lícito tomar parte en un proceso de mediación cuando éste se interpreta como una vía fácil de eludir responsabilidades y de acceder a la satisfacción de intereses ilegítimos o perjudiciales para el resto de afectados.

4.3. Valores pedagógicos de la mediación

Evidentemente, si pretendemos crear nexos de unión entre cultura de mediación y cambio social, tendremos que mostrar en qué fundamentamos nuestra confianza en el potencial educativo de la mediación.

El hecho de perseguir los valores de la mediación nos aleja, forzosamente, de su visión más instrumentalizada –que gira alrededor del conflicto y de su solución– y el discurso se reordena en torno de un nuevo horizonte sociocultural en el que las relaciones interpersonales son fuente constante de aprendizaje y de construcción de significaciones sociales compartidas.

En nuestro estudio estableceremos cinco niveles de análisis en consonancia con las dimensiones relacionales de la persona: consigo misma (intrapersonal), con la alteridad (interpersonal), en el seno de un grupo (intragrupal), en conexión con otros grupos (intergrupal) y como miembro de la humanidad (social). Cada una de las mencionadas áreas se proyecta en la siguiente y la incluye permitiendo la ósmosis en ambos sentidos.

Concretando, pues, los cinco niveles de análisis a que nos venimos refiriendo son:

A. La mediación como formación integral (intrapersonal).

B. La mediación como proceso vehicular de convivencia (interpersonal).
C. La mediación como coeficiente de cohesión (intragrupal).
D. La mediación como nodo de intercomunicación (intergrupal).
E. La mediación como cultura (social).

Proponemos una representación gráfica en forma de diana para plasmar más claramente los objetivos hacia los que apunta la mediación con relación a las sucesivas áreas de interrelación humana.

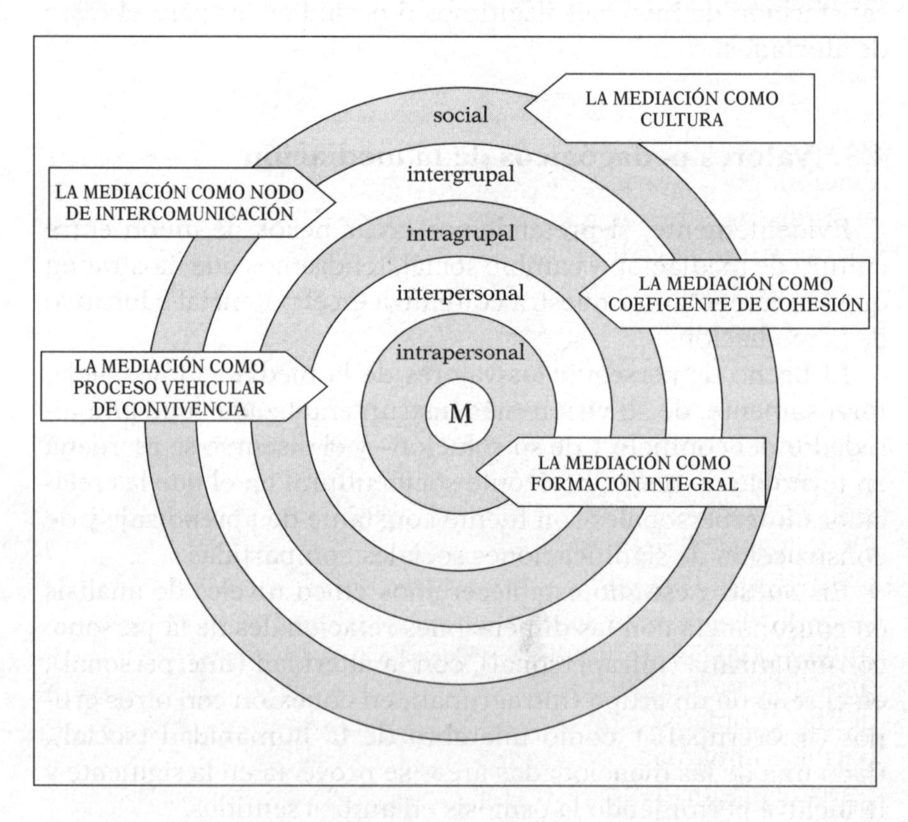

FIGURA 6. La mediación a través de las dimensiones relacionales del ser humano.

A. *La mediación como formación integral (intrapersonal)*

Defendemos que los auténticos procesos mediadores generan y han de generar aprendizaje. Cuando el mediador busca con presteza activar las potencialidades de las personas en cuanto a la comunicación efectiva de pensamientos, sentimientos y vivencias, dota a los participantes en el encuentro de un espacio para reflexionar sobre sí mismos. En este sentido, «los mediadores son auténticos armonizadores del espacio educativo, auténticos animadores que adoptan papeles socráticos,[21] al sugerir o invitar a encontrar caminos de acceso al conocimiento y al desarrollo de la creatividad, de tal guisa que cada uno, individual y solidariamente, construya y reconstruya su esfera personal de emociones y conocimientos» (Sarrado, Riera y Boqué, 2000: 96).

Cuando la mediación hace acto de presencia en un contexto determinado, bien sea por la accesibilidad a un servicio de mediación, por la formación generalizada en mediación o porque el entorno ya de por sí es promotor de consenso, se multiplican las oportunidades de decidir sobre las propias situaciones. Tan sólo el hecho de plantearse abrir una vía de diálogo incita a una reflexión inicial que reconduce los conflictos hacia el terreno del aprendizaje: existe el deseo de comprender la situación, de explicarse y de escuchar. A priori, no existe ningún otro compromiso.

Detrás de una acción tan sencilla como es este *hablemos* inicial, se descubren incipientes actitudes de respeto hacia uno mismo y la alteridad, de responsabilidad inclusiva (Corbo, 1999), de confianza en las propias habilidades y, lo que resulta todavía más remarcable, de lucha para la superación de las adversidades. Recalando en este componente perfectivo, Horowitz (1998: 40) indica que «la mediación basada en la resolución de problemas define el objetivo como el mejoramiento de la situación de las partes comparada con lo que era antes. En cambio, el enfoque transformador define el objetivo como el mejoramiento de las propias partes comparadas con lo que eran antes».

21. Serrano (2000: 310), a su vez, se refiere en estos mismos términos al profesor o profesora en general, a quienes considera verdaderos mediadores del conocimiento.

Durante el encuentro, la habilidad del mediador en la construcción de un verdadero escenario de intercambio y cooperación modelará las actitudes latentes en los protagonistas para que cada uno crezca emocional y cognitivamente. El proceso mediador supone reencuentro, reconocimiento, reconstrucción, revalorización... y un continuo de aprendizajes que, curiosamente, suelen fundamentarse en un desaprender los hábitos de confrontación y litigio que emergen constantemente a la superficie de nuestras culturas. Autoestima, autoconcepto, comprensión y expresión de emociones y sentimientos, empatía, asertividad, escucha activa, habilidades de pensamiento creativo, reflexivo, crítico... hacen ahora acto de presencia y conforman un trabajo autodirigido, en primera instancia, a sí mismo.

Hablamos de formación integral porque los conocimientos que se adquieren a través de la mediación son de cariz experiencial; así es como se incorporan al bagaje vital de las personas que pueden, evidentemente, hacer uso de ellos en otros momentos y lugares de su existencia. Estos conocimientos se adquieren en forma de estructuras de interacción social que se ponen en marcha cuando se experimentan sentimientos de insatisfacción o se perciben situaciones amenazantes; también cuando se impone construir o reconstruir una relación dañada. La creación e interiorización de una identidad no violenta exige tiempo, constancia y la abertura de canales comunicativos, cognitivos y afectivos que retroalimentan, a lo largo de la vida, el propio yo. Estamos hablando de *aprender a ser* (Delors et al., 1996).

Las contribuciones culturales de la mediación devienen visibles, dado que se traducen en prácticas y comportamientos observables y, como afirma Delval (2000: 79), «el conocimiento es el instrumento para la acción y se modifica en la acción». Saber cómo conducirse en situaciones de conflicto, aprender a convivir con personas con las que no hay acuerdo o conseguir defender los propios intereses por caminos de paz son las principales aportaciones de la mediación no instrumentalizada. Nos consta que aprender a aprender, que elaborar conocimientos en y para la acción constituye un desafío a todos los niveles, mucho más en un terreno tan resbaladizo como el de los valores éticos y morales que entran en juego en toda situación de conflicto. Conviene remarcar, en favor de la mediación, que no se trata de una instancia transmisora, sino innovadora y transformadora, mucho más útil todavía a largo plazo.

B. La mediación como proceso vehicular de convivencia (interpersonal)

Los retos que plantea la convivencia en la actualidad son diversos y no es nuestro objetivo analizarlos aquí y ahora. Tan sólo apuntaremos que resulta difícil convivir con las personas cercanas debido al desgaste que ocasiona el día a día y, a la vez, se hace difícil coexistir con desconocidos por el temor y los prejuicios hacia aquellos que nos son extraños. Los extremos en los que deriva la fragmentación social se convierten en pérdidas objetivas –destrucción en los conflictos bélicos, disminución del rendimiento en las empresas, fracaso escolar–. De forma que no será un desperdicio de tiempo, ni una mala rentabilización de recursos invertir en acciones formativas y preventivas desde el convencimiento de que la aceptación del otro y de sí mismo se encuentran en la base de todo proceso social.

Usualmente, el intercambio entre dos personas en conflicto se centra en atacar al otro, culpabilizar, exigir derechos y castigos impuestos. Se busca la presencia del tercero para que dirima quién tiene razón y quién yerra, quién gana y quién pierde, y se actúa separando cada vez más a las personas; para ello se emplean estrategias de confrontación que exigen mostrar firmeza, argumentar, demostrar el propio poder... y, en definitiva, medirse con un oponente a quien se intenta convertir en un inferior; la jerarquización entre iguales es, sin duda, buena muestra del deterioro del tejido social. De entrada, luchar para vencer al otro entraña la aceptación implícita de que la situación como tal es insuperable; por ello, cuando un conflicto se resuelve adversarialmente, todo el mundo, a la corta o a la larga, pierde. En cambio, la mediación, practicada con rigor, promueve la contemplación holística del problema, las personas y el proceso, contribuyendo a la exploración de la situación en su globalidad.

Los conflictos interpersonales toman especial relevancia cuando surgen entre personas que interactúan continuadamente. En este terreno en el que la comunicación se produce cara a cara, el mediador vela por el trato equitativo y democrático de los intercambios, contempla cada situación en toda su originalidad, sin estereotipos, y no prescribe normas; por el contrario, potencia las que surgen en el mismo entorno. Las culturas se crean, no se imponen.

La lógica ternaria en la comunicación incita a superar el enfrentamiento y propone una reabertura que amplía las posibilidades de decisión y de acción. La confidencialidad del proceso actúa en el mismo sentido y la voluntariedad del encuentro pone de manifiesto el interés real de los coparticipantes en cooperar.

Así pues, la mediación, en tanto que proceso vehicular de convivencia, actúa de constructora de puentes entre las personas, a diferencia de las normas o las leyes, que tan sólo se ocupan de describir conductas aceptables o no y de penalizarlas en consecuencia.

C. La mediación como coeficiente de cohesión (intragrupal)

La dimensión intragrupal de las relaciones humanas nos remite a los vínculos que se establecen entre personas que forman parte de un mismo grupo, que puede ser formal o informal. Nos ubicaremos en los grupos formales que existen por motivos funcionales y en los cuales los integrantes no se han elegido, sino que han coincidido. Sin duda, el grupo tendrá unas finalidades, normas, espacios, responsabilidades... a compartir y unas formas de convivencia que pueden provenir de reglas, tradiciones, improvisación, etcétera.

En la mayoría de entornos sociales, la cooperación es una estrategia fundamental. Mantener a los diversos miembros del grupo cohesionados permite, como hemos dicho, la evolución y el crecimiento del conjunto y resulta fundamental para el desarrollo de la pluralidad y solidaridad imprescindibles para coexistir en la diferencia. Aquello que se aprende en el seno del propio grupo se traslada a la arena social más amplia, de modo que lo que se construye en la práctica cotidiana se extrapola a circunstancias espaciotemporales nuevas.

La mediación actúa en el seno de los grupos como coeficiente de cohesión que, sorprendentemente, estimula la disensión, el debate reflexivo y el cuestionamiento de las dinámicas instauradas. Para que un grupo evolucione, debe ser capaz de aprender de sí mismo y de sostenerse en un equilibrio inestable, en caso contrario, puede tender a fosilizarse y dejar de ser efectivo.

Es bien sabido que la orientación hacia las situaciones percibidas como conflictivas varía al pasar por el tamiz del grupo. Formar parte de un conjunto constituye un signo de identidad que, desgraciadamente, puede emplearse para uniformar y crear distancia o contraposición con los otros.

En la siguiente figura, se establecen comparaciones en el desarrollo de los conflictos cuando las personas los viven negativa o constructivamente. Observaremos cómo y de qué manera las relaciones intragrupales pueden orientarse al mantenimiento del propio grupo a cualquier precio, incluso sacrificando la individualidad y originalidad de los propios miembros, o bien a la evolución conjunta.

FIGURA 7. Las personas ante el conflicto (adaptado de Kraybill, 1995).

Orientación negativa	**Orientación positiva**
El conflicto es visto: como una equivocación, peligroso, signo de despreocupación, algo a evitar a cualquier precio.	El conflicto es visto: como inevitable, ni correcto ni erróneo, una oportunidad, evidencia de preocupación e implicación.
Se confunde la persona con el problema: las relaciones se resienten por temas concretos, trato frío y poco respetuoso a los que se muestran en desacuerdo, reticencia a mostrarse en desacuerdo con quienes nos agradan o merecen nuestro respeto.	Se separa la persona del problema: el desacuerdo sobre los temas no perjudica la relación, se trata respetuosamente a aquellos con quienes no hay acuerdo.
Aparece la comunicación indirecta: se habla sobre los demás, pero no se establece con ellos comunicación directa.	Comunicación directa, a pesar de las dificultades, hablemos.

FIGURA 7. (continuación)

Orientación negativa	Orientación positiva
Nunca se habla de problemas enquistados.	Se decide «ventilar» los asuntos.
Se identifican las propias opiniones con aquello que es universalmente correcto y bueno.	Se admite el cuestionamiento con relación a las propias opiniones.
Se varía constantemente entre posiciones de poder y debilidad.	Se admiten responsabilidades de cara al cambio.
La atmósfera es reactiva: sólo se ataca a los otros sin reconocerles ningún mérito.	La atmósfera es interactiva: se escucha atentamente a los otros, se expresan sentimientos y opiniones claramente y en primera persona.
Los líderes intentan homogeneizar el propio grupo.	Los líderes invitan a disentir.
La discusión se orienta a la búsqueda de soluciones.	La discusión se centra inicialmente en el problema y el proceso, seguidamente se buscan soluciones.
Hay poca tolerancia a la incertidumbre.	La calma y la confianza posibilitan que los períodos de incertidumbre sean tolerables e, incluso, necesarios como parte de cualquier proceso de toma de decisiones.

D. La mediación como nodo de intercomunicación (intergrupal)

Ampliando el marco de la realidad social, cada grupo entra en contacto con otros, por lo que cada persona actúa individualmente y, a la vez, como miembro de su grupo de identidad, hecho que ya de por sí es causa de conflicto.

Las comunidades están constituidas por diferentes sectores que a veces actúan como bloques escindidos: por edades, oficios, religiones, etcétera. La cordialidad entre los diferentes estamentos es fundamental de cara a conseguir los objetivos que persigue la comunidad. La mediación facilita el funcionamiento conjunto y efectivo estimulando el intercambio con vistas a democratizar la toma de decisiones y promoviendo, por consiguiente, una verdadera participación que aglutina en lugar de dividir.

El espacio interactivo no puede permanecer vacío de contenido, ya que entonces las piezas de la comunidad aparecen forzosamente aisladas. La amalgama de interrelaciones puede devenir una simple mezcla donde todo el mundo se confunde, o bien una aleación a partir del reconocimiento de los trazos de identidad de cada uno, rasgos que se ponen al servicio de los demás. Es en la especificidad de las lecturas de cada grupo donde encontraremos respuesta y orientación ante las situaciones reales con que nos enfrentamos cotidianamente.

Ury (2000) menciona reiteradamente el *tercer lado*, refiriéndose al hecho de que los conflictos pertenecen a todas las personas que integran un determinado contexto y no únicamente a las partes enfrentadas. La evolución del conflicto depende, en buena medida, de la posición que adopte el *tercer lado*, el cual puede cruzarse de brazos, intervenir agravando la situación o evidenciar su disgusto y animar a las partes en la búsqueda de una salida constructiva. Un tejido intergrupal bien urdido actúa de red protectora que presiona hacia el consenso, primando la cohesión a la imposición de identidades, donde «el tercer lado sirve entonces como una especie de "sistema inmunitario social" que impide la difusión del virus de violencia» (Ury, 2000: 34).

Contemplamos los procesos mediadores como nodos de intercomunicación que facilitan el intercambio en la medida en que los diferentes grupos lo desean. Cada grupo lleva una dirección determinada que, en ocasiones, se entrecruza con el camino trazado por los otros. Si este encuentro se percibe como un impedimento, el paso se produce a la fuerza y es vivido como una invasión. En cambio, circular por el lugar de la mediación presupone, en primera instancia, la participación de cada uno de los grupos en la construcción de este nodo desde donde ya se podrá proseguir o modificar la propia trayectoria compartiéndola con la de los otros, cuando resulte necesario. Si hay un lugar por el que transitar sin causar o sufrir destrucción, este lugar es la mediación.

F. La mediación como cultura (social)

La mediación desarrolla lo que podríamos denominar *competencias culturales*, en el sentido de que promueve actitudes de obertura hacia otras maneras de entender la existencia o, lo que es lo mismo, capacidad de empatizar con significaciones socioculturales y referentes axiológicos diversos. Los mediadores que trabajan en el ámbito internacional han remarcado el componente cultural de los conflictos y la mediación, refiriéndose al hecho de que cabe adaptar el proceso al carácter de cada pueblo (Avruch, 1991). Este mismo reconocimiento y legitimación de nuestras diferencias apunta a la globalidad de manera esperanzada y ciertamente optimista.

Los procesos mediadores potencian la capacidad de influir positivamente en el entorno desde el momento en que «nuestras sociedades, intensamente vinculadas a un hedonismo situacional, quizá han olvidado expresamente que el pensamiento conduce al compromiso personal e intersubjetivo, a la crisis, a la duda, al deber ético –casi épico–, al servicio desinteresado de la alteridad, a la conformación de complicidades y resemantizaciones, a la dinámica de transformación personal y colectiva, a la gratuidad y generosidad en las redes relacionales, al notorio esfuerzo que conlleva hacerse y hacer, al goce estético» (Riera y Sarrado, 2000: 38).

Sustituir la cultura de la confrontación y el litigio por la de la mediación y el consenso entronca con los ideales de paz que, desgraciadamente, se materializan con demasiada lentitud. El concepto de paz ha evolucionado notablemente a lo largo de los últimos años (Galtung, 1985; Lederach, 2000). Hoy en día, la paz ha dejado de considerarse algo pasivo e inalcanzable para pasar a ocupar un lugar cada vez más relevante en la cotidianidad. Los planteamientos basados en la defensa en contra de posibles enemigos se transforman, con parsimonia, en un enfoque más constructivo que induce a creer que la paz se ha de cultivar en el interior de cada ser humano y en el seno de su comunidad. Para Lederach (1998: 48), «la paz no se ve solamente como una fase en el tiempo o una condición; es un proceso social dinámico y como tal requiere un proceso de "construcción", que conlleva inversión, materiales, diseño arquitectónico, coordinación del trabajo, colocación de los materiales y trabajo de acabado, además de un mantenimiento continuo».

Los procesos de sociabilización de las personas han evolucionado hacia la segregación espacial y temporal, incluso en el seno del núcleo familiar. El tiempo en la infancia, por ejemplo, queda dividido en pequeñas parcelas horarias marcadas lo mismo por el cambio de actividad como de personas; así se convive de manera intermitente y en lugares bien específicos. Se diría que se trata de una sociabilización funcional que prescinde de la necesidad humana de capitalizar las vivencias en base a un trato prolongado.

En nuestro mundo globalizado «las culturas no están aisladas ni son estáticas, sino que interactúan y evolucionan. El pluralismo no tiene sentido cuando los implicados no pueden emprender iniciativas democráticas ni expresar su imaginación creativa de manera concreta» (VV. AA., 1997: 20). La mediación no altera, de buenas a primeras, los patrones vigentes; sin embargo, los conocimientos que genera contribuyen a mejorar la calidad de las relaciones humanas, ya que facilitan la elaboración y comprensión de los encuentros convirtiéndolos en momentos vividos y no en simples informaciones superpuestas.

5

Hacia una cultura de mediación

La reinvención de los procesos de mediación en medio de una nueva configuración social que revoluciona la distribución del poder, ahora basado en el conocimiento y la información[1] –anteriormente en los recursos naturales, la fuerza y el capital–, afronta una necesidad urgente: la de la relación y la comunicación cara a cara. Las invenciones tecnocientíficas están destinadas a no ser más que instrumentos en un mundo donde el verdadero potencial de crecimiento y de expansión lo detenta el ser humano. Sin lugar a dudas, las sociedades disgregadas se nos muestran como realmente pobres y el acceso a las nuevas riquezas exige cohesión en base a la «construcción de lugares sociales legítimos para los participantes» (Fried, 2000: 18). Ahora, la formación integral de las personas resulta de vital importancia.

Los procesos de cambio, antes lentos, siempre costosos, originan infinidad de situaciones conflictivas. Paradójicamente, los sistemas de administración de justicia siguen evolucionando al ritmo de siempre, no dan abasto ni cuantitativa ni cualitativamente y se los considera, en general, poco satisfactorios. No se

1. Para Ury (2000), el conocimiento entendido como riqueza supone, empleando la terminología del autor, un pastel que se puede aumentar. Tratándose de un recurso no limitado, la colaboración volvería a convertirse en una herramienta valiosa para la evolución de la humanidad.

cuestiona la necesidad de mantener un sistema normativo que regule la convivencia, pero el sentir de las personas se orienta, cada vez más, hacia niveles significativos de autonomía.[2] La intuición de que no nos hallamos suficientemente preparados[3] para convivir en un entorno humano plural nos descubre el estado de desapropiación de la realidad de cada uno, así como el desconocimiento de uno mismo y de la alteridad. Vivir entre artefactos ha facilitado enormemente la existencia, pero la cuestión no es ahora de valor monetario sino humano. Las estructuras encaminadas al progreso son aquellas dirigidas a provocar encuentros de intercambio comunicativo que facilitan el conocimiento propio y de los demás. La mediación es, sin lugar a dudas, una de ellas.

Nos hallamos instalados en el cambio y, por este motivo, no sería apropiado recuperar constructos estáticos. La mediación es, ciertamente, un proceso –considerado por muchos transformativo– que ordena el fluir en medio de los conflictos, colocando las personas en el centro. No prescribe qué hacer y qué no en tal o cual circunstancia. Tampoco se parte de preconcepciones y las situaciones se interpretan bajo parámetros de originalidad e irrepetibilidad. La lógica de la mediación es ternaria y, consecuentemente, abierta, motivo por el cual permite la circulación de verdades múltiples. Si bien la situación conflictiva se ha planteado entre dos personas o grupos, el uno en contra del otro, la dinámica de la mediación, desde el momento en que incorpora a los mediadores, genera nuevos canales de comunicación y mensajes que, a imagen de la mayéutica socrática, se formulan desde fuera pero se responden desde dentro. Se abre una comunicación multivía que, curiosamente, impulsa el fluido dialógico por un circuito circular, la información retorna al emisor enriquecida, cargada de valores y, posiblemente, compartida. En los procesos de mediación, la información se elabora conjuntamente y

2. «La interdependencia creciente implica más conflictos, y no menos [...] Cuanto mayor sea el vínculo entre las tribus del mundo, más insiste cada una en la autodeterminación» (Ury, 2000).

3. «La vida "en productividad" no nos deja tiempo para la formación integral» (Boqué, 2001: 61).

el conocimiento surge de una comunicación guiada, como ya hemos dicho, por valores. La ausencia de instrumentos sofisticados e infalibles capaces de analizar causas y efectos y de emitir un dictamen preciso se hace sentir en un escenario que no es unidimensional ni bidimensional, sino tridimensional, voluminoso, con multiplicidad de caras, ángulos, superficies y texturas, siempre cambiantes bajo la mirada de cada uno de los participantes, sensible al paso del tiempo. El conflicto se interpreta desde el cambio, desde la vida, y la vida es, como la mediación, polifacética y fugaz.

Dejar de considerar a la mediación como alternativa es con toda seguridad cuestión de tiempo. El momento actual se distingue por la pluralidad, es decir, por la coexistencia de identidades diferentes donde el dominio y/o la exclusión de unas realidades por encima de las otras sólo marcan límites jerárquicos y contextos de poder. En una sociedad abierta, la mejor forma de control es el autocontrol; así pues, marginar una instancia autogestiva de autodeterminación resulta tan reductivo como regresivo.

La naturalidad con que aparecen los conflictos en nuestras vidas no se corresponde con la anormalidad con que los vivimos. En muchas ocasiones, las manifestaciones violentas emparejadas con vivencias discrepantes originan cierta confusión entre violencia y conflicto, hasta el punto de convertir a la violencia en rasgo definitorio de los conflictos (Boqué, 2002a). Pensar en resolverlos equivale a estigmatizarlos y diseñar un plan de gestión sería la forma civilizada de hacerlo. Resolver o gestionar casi no ponen de manifiesto el potencial innovador que, por el contrario, se asocia con *transformación*. La realidad muestra que, como la energía, los conflictos no se crean ni destruyen, sólo se transforman. Formar parte de este proceso de manera activa introduciendo, si cabe, un nuevo elemento catalizador, genera la posibilidad de obtener una nueva sustancia compuesta por los mismos elementos, aunque enlazados de manera diferente. Sabemos que el diamante y el grafito son ambos carbono en estado puro, pero al variar su estructura, sus propiedades difieren notablemente. El laboratorio de la mediación es rico en elementos y experto en enlaces; consecuentemente, es inagotable. Por ello, explorar los aspectos sustantivos, subjetivos e interactivos peculiares de cada conflicto es una labor creativa. Como en química, unos elementos serán solubles y otros no, a veces la aleación no será factible, quizá el proceso consuma demasiada energía o, en el peor de los casos, el producto final resulte nocivo. Sería ingenuo y peligroso no prever esta última posibilidad indicadora de que el trabajo ha de ser preciso, mesurado y riguroso.

Celebrar la diferencia en lugar de penalizarla significa que la búsqueda de puntos comunes ha de ir acompañada de la constatación de la singularidad y diversidad de los seres humanos. La cuestión no radica en cooperar porque hemos descubierto que tenemos intereses similares; aquello que resulta de veras valioso es el hecho de colaborar desde la aceptación de la diferencia. Por este motivo, un proceso de mediación que pone el acento en recuperar y señalar únicamente aspectos comunes anula la fuente de riqueza que aportan los protagonistas. Así pues, la mediación dibuja un arco social que cruza todas las fronteras culturales, económicas y étnicas iluminando zonas conflictivas a pequeña y gran escala. La misión de la mediación no es otra que la de servir de punto de encuentro de los diferentes sin caer en la tentación de homogeneizarlos. La mundialización contribuye a que cada día se inauguren nuevas relaciones y nos muestra que *los diferentes* también somos nosotros.

La necesidad de liderar los propios procesos vitales alcanzando cotas de protagonismo y responsabilidad en todas las esferas de la propia existencia otorga a la mediación un rol insustituible: el de estructurar una vía primaria de aprendizaje hacia la autodeterminación. En este sentido, la creación de instancias de mediación instaura, antes que nada, un espacio preventivo que favorece el tránsito hacia formas de relación codependientes y autogestivas.

El momento de efervescencia que vive la mediación –más como técnica que como arte– hace que nos hagamos eco de las palabras de Bellman (1998: 206) cuando confiesa: «me preocupa abarcar una milla de anchura y una pulgada de profundidad». Indudablemente, la mediación no es un acto de fe y cantar sus excelencias no contribuirá a mejorar la variedad de prácticas existentes, tantas como mediadores, protagonistas y conflictos. El estudio serio de los procesos de mediación, el trabajo en equipos interdisciplinarios, la implementación de programas y la oferta de servicios en nuestro entorno contribuirán, sin duda, a contrastar la operatividad de una nueva forma de actuar ante el conflicto que parece resistirse a pautas y encasillamientos.

Los coparticipantes en el proceso de mediación –se trate del mediador o bien de los protagonistas– realizan verdaderamente una tarea en común. Los movimientos iniciales del mediador le llevarán a lidiar con la posición dualista con que los protagonistas de la situación conflictiva han abordado las cuestiones hasta el presente. Para transformar esta dinámica hacia una posición sentida en la que no hay dos problemas sino uno, definido por aquello que cada uno legítimamente quiere o cree que desea, busca establecer un objetivo compartido para todo el proceso. Llegados a este punto donde no hay terceras partes, porque tampoco las hay segundas, ni primeras, los coparticipantes diseñan un proyecto de trabajo en el que las actitudes de apoyo hacia la alteridad serán importantes.

El mediador no puede quedar fuera, alejado con la excusa de evitar dirigir, tomar protagonismo, influenciar o posicionarse. Evidentemente no debe hacerlo, no es un juez y su misión no consiste en ayudar a los demás, sino en conseguir que se ayuden a sí mismos. No obstante, sí que pretende que el proceso sea equitativo y ello implica que deberá manejarse muy hábilmente para conservar su independencia y al mismo tiempo colaborar activamente en la consecución de los objetivos que los verdaderos protagonistas han expresado. Además, deberá ser modelo de comunicación, velar para que la elaboración de la información mediante el diálogo segregue elementos éticos, valorar positivamente las aportaciones constructivas conseguidas en conjunto y hacer circular continuamente la confianza que se ha de establecer hacia el mediador, entre las partes y el proceso. Inevitablemente, la persona del mediador, como coparticipante, introduce elementos en la mediación y es de esperar que no sean valorativamente neutrales, sino positivos, sensibles hacia los protagonistas, la comunicación y el conflicto.

Depositar efectivamente la confianza en los protagonistas del conflicto remueve las estructuras de poder que en otras instancias están en manos de alguien externo y no implicado, o simplemente, de aquellas que lo retienen y consideran que no tienen por qué cederlo. En los procesos de mediación, el poder, como fuerza de presión, está de más. El mediador no obliga a los protagonistas, ni uno de ellos domina a los otros. Se establece una comunicación horizontal, no se toman decisiones forzadas y la voluntariedad es uno de los ejes conductores del proceso. Contrariamente a lo que podría parecer, la mediación es poderosa en tanto en cuanto las personas ejercitan sus libertades y pasan a ser artífices de las propias existencias y comunidades, asumiendo responsabilidades y dando vida a los derechos fundamentales, que corren el peligro de existir sólo en libros y demás documentos convirtiéndose, finalmente, en papel mojado.

La actividad del mediador se dirige, también, a lograr que cada persona aporte lo mejor de sí misma en el proceso, generando confianza de los unos hacia los otros y contribuyendo a que se vean como interlocutores dignos y válidos. Con este objetivo, el mediador crea un clima de seguridad, una atmósfera en la que las emociones pueden ser expresadas y gestionadas. El problema se enmarca, de nuevo, como una situación compartida, se estimula la imaginación en relación a las posibles opciones y la atención se mantiene centrada en la busca de una vía que todavía está por descubrir.

Además, la actividad de los protagonistas conlleva, recordémoslo, compromiso en la transformación propia y de la situación, ejercicio de la autodeterminación y liderazgo, trabajo cooperativo para la no exclusión, voluntad de implementar las decisiones acordadas y corresponsabilidad en la construcción de significados sociales innovadores y equitativos.

Bajo el riesgo de suscitar más polémica, diremos que la negociación, tratada como alma gemela de la mediación, persigue el éxito y las ganancias. Si para obtenerlos resulta aconsejable colaborar, comunicarse, estudiar al otro, ponernos en su piel y calibrar por qué vías podemos acceder a lo que deseamos, o qué cuerdas podemos pulsar, adelante, somos imperfectos y volubles. El interés primordial gira siempre alrededor de la posibilidad de negocio y no de la persona, de manera que las estrategias se desarrollan, lógicamente, bajo esta óptica. Desde este ángulo, el sentido comunitario subyacente en algunos textos de negociación se dirige a fortalecer el espíritu de empresa. Resulta que cuando los trabajadores cooperan estratégicamente, se evitan conflictos y la productividad aumenta. Por otra parte, se ha visto que la competición no siempre conlleva los efectos esperados. De modo que afirmar que la mediación es una negociación asistida muestra, creemos, una falta de sensibilidad hacia la variedad de matices presentes en las relaciones interpersonales. Ya hemos dicho que el proceso comunicacional que se establece en todo acto de mediación entraña una lógica que, además de los aspectos a negociar, exige el reconocimiento por parte del otro y el fortalecimiento de uno mismo, unos valores que no cotizan en bolsa.

A la hora de señalar un rasgo definitorio por excelencia con relación a la mediación, la libertad de los protagonistas de participar en el proceso ocuparía un lugar preeminente. Sin duda, forma parte del ritual mediador saberse actor del mismo. De manera que la inclinación a coartar la voluntariedad del proceso pone de manifiesto una lógica adversarial continuista que tan sólo concede valor a la mediación entreviendo en ella una forma de cambiar para, no obstante, seguir igual.

Los procesos de mediación permiten considerar la posibilidad de ponerse de acuerdo con alguien con quien no nos entendemos. El esfuerzo y el trabajo, doloroso en ocasiones, de escuchar y expresar sentimientos, motivaciones, argumentos, historias... se ve compensado cuando se alcanza cierto grado de sintonía. Ponerse de acuerdo implica hacer efectiva la capacidad de reconocimiento de la alteridad y comporta un fortalecimiento personal que resulta satisfactorio. La promoción del acuerdo evidencia la disponibilidad de construir algo en conjunto. Aun suponiendo que después de un proceso de mediación los protagonistas puedan sentirse igual o todavía más distanciados que antes, únicamente una reflexión pausada permitiría valorar si la experiencia ha resultado o no fructífera. Desde luego, la vivencia del fracaso no desvela sensaciones demasiado positivas y se necesita firmeza para superar los golpes.

La interrelación se interpreta como forjadora de significados. Convivir exige aceptar y explorar diferencias, entender que toda persona es portadora de riqueza y estar dispuestos a compartirla. Cuando el proceso de mediación prioriza la mejora de las relaciones por encima de la consecución de un acuerdo con que dar por finalizado el conflicto, se instaura en una dinámica vital de inacabamiento, donde la evolución personal es más importante que la situación puntual del aquí y ahora. Las redes humanas que construimos y nos construyen son decisivas para hacer frente a los conflictos y, naturalmente, la mediación pretende fortalecerlas.

Indudablemente, los procesos de mediación se forjan en y a través de la comunicación, concediendo especial atención no tan sólo a los componentes digitales, sino también, y de manera muy especial, a los analógicos. Comunicarse es inevitable. Aun así, raramente controlamos la forma de expresarnos y, mucho menos, la de recibir los mensajes. En este sentido, podríamos considerar a los procesos de mediación modélicos en un entorno donde la información sobresatura espacios originariamente de reflexión y retroalimentación.

El ser humano, en tanto que decisor, sustenta una base social cada vez más amplia de ejercicio de libertades y de asunción de responsabilidades. La mediación posee un alto valor de fortalecimiento y revalorización de las personas no tanto porque les permite decidir, sino porque las hace responsables de implantar y evaluar las propias acciones. El futuro calculado por científicos y otros expertos resulta parcializado, frecuentemente excluyente e irreversible; por tanto, violento. El viraje humanista lleva a confiar en las capacidades de todas las personas a la hora de protagonizar la propia vida y la mediación forma parte de esta estructura transformativa.

En lo relativo a la institucionalización o no de la mediación, y quién sabe si de su profesionalización, hemos visto que las vías formal e informal no han de estar reñidas a la fuerza. Sí que es del todo necesaria una formación y un perfeccionamiento de las aptitudes de quienes piensan ofrecer sus servicios como mediadores en cualquier ámbito. La paradoja se produce cuando la misma tarea es realizada tanto por primeras figuras de entornos políticos, organismos pacificadores o de renombre en el ámbito sociocultural internacional, como por personas anónimas comprometidas en la situación. En realidad, la opinión más generalizada apunta que la complejidad de las sociedades actuales propicia, sin duda, intervenciones a todos los niveles y desde las más diversas instancias. Las prácticas ya existentes no hacen más que confirmarlo.

La mediación se muestra ambigua hacia sus propios fundamentos. Todos los procesos de mediación tienen, en un grado u otro, la pretensión de fomentar la mejora personal de quienes toman parte en ella. La gran diferencia radica en distinguir si aquello que pretende desarrollar son actitudes o aptitudes. Mientras que las primeras buscan el paso de unas relaciones inmaduras de dependencia o independencia hacia la interdependencia mutua, las aptitudes educan habilidades. Lo cierto es que el crecimiento moral implica sentido crítico, desarrollo aptitudinal y sentido práctico. Adela Cortina analiza las formas de afrontar los conflictos a partir de los imperativos kantianos[4] –consejos de habilidad, consejos de la prudencia y mandatos de la moralidad–. La autora concluye que «las relaciones humanas se producen entre sujetos que, aun "antes" de saberse en confrontación, se reconocen mutuamente como seres humanos. Sin ese conocimiento mutuo, nadie aprende a saberse persona. Educar en ese mutuo reconocimiento, educar en la consideración de todas y cada una de las personas como seres que aspiran a una vida digna y plena y merecen lograrla es el procedimiento infalible para orientar las estrategias de resolución de conflictos en el sentido justo, en el sentido de justicia» (Cortina, 1997: 56).

Ni improvisación ni insensibilidad pueden formar parte de los recursos del mediador. Por ello, una formación técnica sólida y la capacidad para captar, inventar y crear momentos y vivencias comunicativas cargadas de significados para quienes participan en el proceso deberían ir unidas.

4. La persona regida por los consejos de la habilidad puede analizar los conflictos desde una perspectiva individualista buscando soluciones puntuales y egoístas. La persona prudente, a su vez, racionaliza las consecuencias de sus acciones a más largo plazo, pero no incluye a los demás en el cálculo. Finalmente, la persona moral entra de lleno en la racionalidad comunicativa e ingresa en el ámbito de la justicia: todo el mundo merece aspirar a y conseguir una vida digna y llena. La mediación se inscribe en este último ámbito de la moralidad (Cortina, 1997).

Llegados a este punto, podríamos definir a la mediación como un proceso ternario en que los participantes, mediador y protagonistas, exploran voluntariamente la situación conflictiva para facilitar una toma de decisiones conjunta liderada por los protagonistas. También, como un intento de trabajar con el otro y no contra el otro, buscando una vía pacífica de afrontar los conflictos en un entorno de crecimiento, aceptación, aprendizaje y respeto mutuo. O bien, decir que la mediación es un proceso de comunicación en el que la persona mediadora crea las condiciones para que los actores del conflicto puedan compartir inquietudes y planteamientos, puntos de vista y limitaciones con el ánimo de dar forma al conflicto y ponerse de acuerdo. Aceptando, de entrada, que siempre que nos referimos al acuerdo contemplamos la posibilidad de que los participantes en el proceso de mediación coincidan en un no acuerdo. La mediación, además, busca equidad y compromiso informado, superando la violencia y la exclusión se integra en un amplio movimiento personalizador de cohesión social.

Pero desde una concepción más amplia consideramos que «la cultura de mediación[5] configura espacios comunicacionales ternarios, donde, con la contribución de la persona mediadora, sujetos agentes generan horizontes simbólicos compartidos».

Hablamos de *espacios* refiriéndonos a lugares sociales emergentes, a escenarios orgánicos construidos por los coparticipantes en el proceso, persona mediadora y protagonistas, creados a partir de un primer acuerdo: trabajar juntos.

Son espacios *comunicacionales* en tanto en cuanto el lenguaje permite expresar representaciones inicialmente discrepantes y también transformar el mundo simbólico de cada uno, gracias a la elaboración interpersonal de las respectivas vivencias en un entorno guiado por valores.

5. Recientemente, algunos autores han hecho referencia a la cultura de mediación bajo denominaciones como *contra-cultura* (Bonafé-Schmitt, 2000), *cosmovisión* (Bush y Folger, 2000), o *co-cultura* (Ury, 2000).

La apertura dialógica[6] y de pensamiento trasciende la individualidad y explica el calificativo de *ternarios* que merecen aquellos espacios comunicacionales donde las relaciones binarias y las dualidades[7] se recrean y redimensionan de cara a un futuro incierto, pero posible.

La *contribución de la persona mediadora* señala la presencia puntual de una figura independiente y multiparcial que aporta valores de horizontalidad, inclusividad, cooperación y equidad, marcando un compás esperanzado y realista[8] que armoniza las capacidades de los protagonistas. Como persona, pues, el mediador o mediadora preserva la humanidad y articula la complejidad del espacio comunicacional.[9]

Los *sujetos* o protagonistas del conflicto son personas con bagajes culturales y experienciales únicos que, tomando posesión de su vida, participan en la construcción o reconstrucción de sí mismos, de los otros, de sus relaciones y del contexto que las rodea. Se constituyen en verdaderos *agentes* que remueven estructuras de poder/dependencia alcanzando umbrales de autonomía y desarrollo y, al mismo tiempo, las habilidades que les permiten actuar.[10]

6. Según Camino (1989: 79), «la cultura oriental se viste de ambigüedad en un lenguaje dialógico en el que entran varias interpretaciones que facilitan la comunicación, si la intención es comunicarse, y tranquilizan al individuo. Es un tipo de pensamiento triádico en que se integran los opuestos no por superación o "asunción" sino por "compasión", en su sentido original del griego νπάδος (simpatía), o sea, padecer o sufrir o tolerar la contradicción sin pretender reducirla o superarla. Así puede decirse "esto y lo otro", "bueno y malo", "útil e inútil". Esta lógica ya no admite aquello de que escoger es renunciar, sino que escoger es enriquecerse, es integrar con lo que ya poseemos». El autor considera que la lógica aristotélica tradicional, así como el clásico pensamiento dogmático y dualista, comporten contradicción y angustia existencial.

7. Durand (1989: 20) opina que «todas las andaduras de nuestro pensamiento occidental y de nuestros análisis están amenazadas, desde hace siglos, por la simplificación dualista de los problemas y por el esfuerzo de reducción monista de las soluciones».

8. Tal y como afirma Ury (2000: 209), «de la esperanza realista surge la acción».

9. Esta recuperación, o mejor dicho, revalorización del elemento humano, ya la remarca Morin (2000: 118) cuando afirma que «existe una resurrección de las entidades globales como el cosmos, la naturaleza, el hombre, que habían sido cortadas como salchichones y finalmente desintegradas, pretendidamente porque enlazaban con un sentido ingenuo precientífico, y en realidad porque comportaban en su seno una complejidad insoportable para el pensamiento disyuntivo/reductor».

10. Asevera Verjat (1989: 14) que «la historia se inscribe en el hombre y no a la inversa».

Decimos que los sujetos agentes *generan*, subrayando así la esencia vital, creadora y emergente de la mediación. La cultura de la mediación, en sí, ha de pasar por un proceso de construcción fundamentado en la interrogación y la reflexión colectivas alrededor de las situaciones conflictivas que son las que nos interpelan.[11]

Entendemos por *horizontes* futuros que se gestan en el presente diseños innovadores no subordinados a preconcepciones ni a lecturas estandarizadas de la situación. Son horizontes *simbólicos*, representaciones de la realidad tal y como es percibida por los propios actores. Se deconstruye, desaprende y repiensa la propia cultura aprovechando la polivalencia de las situaciones conflictivas y nuestra diversidad,[12] formulando interrogantes significativos y transformando, reequilibrando y redefiniendo la realidad. Tales horizontes simbólicos son, imperativamente, *compartidos* o coconstruidos en mutua interdependencia.[13]

Finalizaremos diciendo que una interpretación cultural de la mediación hace de ella un proyecto colectivo de la humanidad, o mejor dicho, con la humanidad. Puede, como vaticina Moore (1997: 275), «que la "necesidad humana de comunidad" aliente el empleo de la mediación o que la mediación represente una de las herramientas que hemos encontrado y que nos permite volver a orientarnos más hacia la comunidad; creo que nuestro empleo de este procedimiento tiene mucho que ver con el deseo de

11. Según Fried y Schnitman (2000: 151), «la perspectiva generativa invita a sostener una apertura reflexiva hacia la diversidad, lo inesperado, las singularidades que no responden a los códigos dominantes con los que los participantes llegan al proceso de resolución, y a discernir qué elementos no necesariamente se adecuan a la teoría o visión del mundo a la que se adhieren de inicio».

12. En palabras de Sara Cobb (1997b: 19), «esta atención al manejo de las diferencias y los desacuerdos constituye una revolución social, iniciada por prácticas tales como la mediación, que llega a impregnar nuestras teorías de conflicto, así como nuestras interacciones con el prójimo».

13. Morin (2000: 128) invoca: «un modo de pensar capaz de unir y solidarizar conocimientos separados es capaz de prolongarse en una ética de la interrelación y de la solidaridad entre humanos. Un pensamiento capaz de no quedarse encerrado en lo local y lo particular sino de concebir los conjuntos sería apto para favorecer el sentido de la responsabilidad y de la ciudadanía. La reforma del pensamiento tendría pues consecuencias existenciales, éticas y ciudadanas».

vivir en una comunidad mejorada». Este espíritu comunitario, todavía por construir, necesita hoy más que nunca de ingenieros sociales aptos para fomentar la coexistencia y capaces de tejer redes protectoras frente al peligro constante de que el disenso produzca una brecha insalvable. Para que la cultura de mediación se instaure en nuestras sociedades, las personas mediadoras, sea cual fuere su ámbito de acción, deberán acercarse a la ciudadanía desde el rigor que comporta el dominio de unas técnicas, el conocimiento profundo de un arte y la autenticidad de una ética universal. Es, pues, en el cruce de estas tres coordenadas donde un proceso mediador cristaliza propiciando el cambio social que, átomo a átomo, conduce hacia una existencia no violenta.

Referencias bibliográficas

Acland, A. F. (1993). *Cómo utilizar la mediación para resolver conflictos en las organizaciones*. Barcelona, Paidós.

Avruch, K. (1991). «Introduction: Culture and Conflict Resolution». En K. Avruch et al., *Conflict Resolution: Cross-cultural perspectives* (pp. 1-7). Westport, CT, Greenwood Press.

Axelrod, R. (1986). *La evolución de la cooperación. El dilema del prisionero y la teoría de juegos*. Madrid, Alianza Editorial.

Bazán, L. (1996). «Reflexiones sobre la práctica pedagógica de la mediación». En J. Gottheil y A. Schiffrin (comps.), *Mediación, una transformación en la cultura* (pp. 75-91). Buenos Aires, Paidós.

Bellman, H. S. (1998). «Some reflections on the practice of mediation». *Negotiation Journal*, vol. 14, nº. 3, 205-210.

Bercovitch, J. (comp.) (1996). *Resolving international conflicts. The theory and practice of mediation*. Boulder, CO, Lynne Rienner Publishers, Inc.

Berger, P. L. (1999). *Los límites de la cohesión social. Conflictos y mediación en las sociedades pluralistas*. Barcelona, Galaxia Gutenberg-Círculo de Lectores.

Birkhoff, J. (1998). *Conflict Resolution Syllabi Anthology*. Washington, NIDR.

Bodine, R. J., Crawford, D. K. y Shrumpf, F. (1994). *Creating the peaceble school. A comprehensive program for teaching conflict resolution. Program guide.* Champaign, IL, Research Press.

Bonafé-Schmitt, J. P. (2000). *La médiation scolaire par les élèves*. París, ESF.
Boqué, M. C. (2000). «Estudi descriptiu dels estils de comportament dels infants davant del conflicte. Avaluació diagnòstica i orientacions per a l'acció pedagògica». *Aloma. Revista de Psicologia i Ciències de l'Educació, 6*, 176-186.
Boqué, M. C. (2001). «De l'educació a la cultura de la pau». *Perspectiva Escolar, 258*, 60-66.
Boqué, M. C. (2002a). *Guía de mediación escolar. Programa comprensivo de actividades (6 a 16 años)*. Barcelona, Octaedro.
Boqué, M. C. (2002b). «Los avances de la mediación escolar». *Aula de innovación educativa, 115*, 45-47.
Burgess, H. y Burgess, G. M. (1997). *Encyclopedia of Conflict Resolution*. Santa Bárbara, CA, ABC-CLIO.
Burguet, M. (1999). *El educador como gestor de conflictos*. Bilbao, Desclée De Brouwer.
Burton, J. (1990). *Conflict: Resolution and Provention.* Nueva York, St. Martin's Press, Inc.
Burton, J. y Dukes, F. (1990). *Conflict: Practices in management, settlement and resolution*. Nueva York, St. Martin's Press, Inc.
Bush, R. A. B. y Folger, J. P. (1996). *La promesa de la mediación. Cómo afrontar el conflicto a través del fortalecimiento propio y el reconocimiento de los otros*. Barcelona, Granica.
Camino, J. L. (1989). «Hermes y la psicoterapia». En A. Verjat (comp.), *El retorno de Hermes. Hermenéutica y ciencias sociales* (pp. 72-96). Barcelona, Anthropos.
Castells, M. (1998). *La era de la información. Economía, sociedad y cultura*. Vol. I: *La sociedad red*. Vol. II: *El poder de la identidad*. Vol III: *Fin de milenio*. Madrid, Alianza Editorial.
Cobb, S. (1997a). «Una perspectiva narrativa de la mediación. Hacia la materialización de la metáfora del "narrador de historias"». En J. P. Folger y T. S. Jones, *Nuevas direcciones en mediación. Investigación y perspectivas comunicacionales* (pp. 83-102). Barcelona, Paidós.
Cobb, S. (1997b). Prólogo en M. Suares, *Mediación. Conducción de disputas, comunicación y técnicas* (pp.15-19). Buenos Aires, Paidós.

Corbo Zabatel, E. (1999). «Mediación: ¿Cambio social o más de lo mismo?» En F. Brandoni (comp.), *Mediación escolar. Propuestas, reflexiones y experiencias* (pp. 141-152). Buenos Aires, Paidós.

Cornelius, H. y Faire, S. (1996). *Tú ganas, yo gano. Cómo resolver conflictos creativamente... y disfrutar con las soluciones.* Madrid, Gaia Ediciones.

Csikszentmihalyi, M. (1998). *Creatividad. El fluir y la psicología del descubrimiento y la invención*. Barcelona, Paidós.

Curle, A. (1995). *Another way. Positive response to contemporary violence*. Oxford, Jon Carpenter Publishing.

De Bono, E. (1985). *Conflicts. A better way to resolve them*. Londres, Penguin Books.

De Bono, E. (1992). *Seis pares de zapatos para la acción. Una solución para cada problema y un enfoque para cada solución*. Barcelona, Paidós.

De Bono, E. (1998). *Seis sombreros para pensar. Una guía de pensamiento para gente de acción*. Barcelona, Granica.

Díaz, B. y Liatard-Dulac, B. (1998). *Contre violence et mal-être. La médiation par les eleves*. París, Nathan.

Diez, F. y Tapia, G. (1999). *Herramientas para trabajar en mediación*. Buenos Aires, Paidós.

Drake, L. E. y Donohue, W. A. (2000). «Resolución de conflictos: Teoría del encuadramiento comunicacional». En D. Fried Schnitman (comp.), *Nuevos paradigmas en la resolución de conflictos. Perspectivas y prácticas* (pp. 99-132). Buenos Aires, Granica.

Durand, G. (1989). «La creación literaria. Los fundamentos de la creación». En A. Verjat, *El retorno de Hermes. Hermenéutica y ciencias humanas* (pp. 20-48). Barcelona, Anthropos.

Entelman, R. (2002). *Teoría de conflictos. Hacia un nuevo paradigma*. Barcelona, Gedisa.

Farré, S. (1998). «La diplomacia ciudadana». *El ciervo*, *565*, 7-9.

Fisas, V. (1987). *Introducció a l'estudi de la pau i dels conflictes.* Barcelona, Fundació Jaume Bofill, La Magrana.

Fisher, R. y Brown, S. (1989). *Getting together. Building relationships as we negotiate*. Nueva York, Penguin Books.

Fisher, R. y Ury, W. (1991). *Getting to yes. Negotiating Agreement without giving in*. Nueva York, Penguin Books.

Folberg, J. y Taylor, A. (1988). *Mediation. A comprehensive guide to resolving conflicts without litigation*. San Francisco, Jossey-Bass Publishers.

Folger, J. P. y Bush, R. A. B. (1997). «Ideología, orientaciones respecto del conflicto y discurso de la mediación». En J. P. Folger y T. S. Jones, *Nuevas direcciones en mediación. Investigación y perspectivas comunicacionales* (pp. 24-53). Barcelona, Paidós.

Folger, J. P. y Jones, T. S. (comps.) (1997). *Nuevas direcciones en mediación. Investigación y perspectivas comunicacionales*. Buenos Aires, Paidós.

Folger, J. P., Poole, M. S. y Stutman, R. K. (1997). *Working through conflict. Strategies, relationships, groups, and organizations*. Nueva York, Longman.

Folger, J. P. y Bush, R. A. B. (2000). «La mediación transformadora y la intervención de terceros: los sellos distintivos de un profesional transformador». En D. Fried Schnitman (comp.), *Nuevos paradigmas en la resolución de conflictos. Perspectivas y prácticas* (pp. 73-97). Buenos Aires, Granica.

Fried, D. (2000). «Nuevos paradigmas en la resolución de conflictos». En D. Fried Schnitman (comp.), *Nuevos paradigmas en la resolución de conflictos. Perspectivas y prácticas* (pp. 17-40). Buenos Aires, Granica.

Fried, D. y Schnitman, J. (2000). «La resolución alternativa de conflictos: un enfoque generativo». En D. Fried Schnitman (comp.), *Nuevos paradigmas en la resolución de conflictos. Perspectivas y prácticas* (pp. 17-40). Buenos Aires, Granica.

Funes, J. (dir.) (1994). *Mediació i justícia juvenil*. Barcelona, Generalitat de Catalunya, Departament de Justícia, Centre d'Estudis Jurídics i Formació Especialitzada.

Galtung, J. (1985). *Sobre la paz*. Barcelona, Fontamara.

Galtung, J. (1995). «The role of the third party». En J. Callie y C. M. Merkel (comps.), *Peaceful settlement of conflict – A task for civil society: «Third party intervention»* (pp. 368-377). Rehburg-Loccum (Alemania), Evangelische Akademie Loccum.

Galtung, J. (1998). *Tras la violencia, 3R: reconstrucción, reconciliación, resolución. Afrontando los efectos visibles e invisibles de la guerra y la violencia*. Bilbao, Bakeaz, Gernika Gogoratuz.

Gergen, K. J. (2000). «Hacia un vocabulario para el diálogo transformador». En D. Fried Schnitman (comp.), *Nuevos paradigmas en la resolución de conflictos. Perspectivas y prácticas* (pp. 43-71). Buenos Aires, Granica.

Gimeno Sacristán, J. (1978). «Explicación, norma y utopía en las ciencias de la educación». En AA. VV., *Epistemología y educación* (pp. 158-166). Salamanca, Sígueme.

Giró, J. (1997). «Los fundamentos de la mediación a debate». En J. F. Six, *Dinámica de la mediación* (pp. 223-227). Barcelona, Paidós.

Giró, J. (1998). «La justicia y la mediación: dos figuras diversas de la actividad comunicativa». *Educación Social, 8,* 18-28 (Monográfico: Mediación y Resolución de Conflictos).

Giró, J. (2000). «Psicologia i mediació: els models de mediació i la seva relació amb la psicologia». *Aloma. Revista de Psicologia i Ciències de l'Educació, 7,* 150-176.

Gottheil, J. (1996). «La mediación y la salud del tejido social». En J. Gottheil y A. Schiffrin (comps.), *Mediación, una transformación en la cultura* (pp. 215-225). Buenos Aires, Paidós.

Gutiérrez, J. (1998). *Caja de Herramientas. Versión 0 Mejorada. II curso de capacitación para el entrenamiento en tratamiento de conflictos (14-20 Diciembre de 1998).* Gernika, Gernika Gogoratuz.

Hersh, R., Reimer, J. y Paolitto, D. (1988). *El crecimiento moral. De Piaget a Kohlberg.* Madrid, Narcea Ediciones.

Horowitz, S. R. (1998). *Mediación en la escuela. Resolución de conflictos en el ámbito educativo adolescente.* Buenos Aires, Aique.

Johnson, D. W., Johnson, R. T. y Holubec, J. (1994). *El aprendizaje cooperativo en el aula.* Buenos Aires, Paidós.

Jones, T. (1997). «Un reenmarcamiento dialéctico del proceso de mediación». En J. P. Folger y T. S. Jones, *Nuevas direcciones en mediación. Investigación y perspectivas comunicacionales* (pp. 55-81). Barcelona, Paidós.

Kolb, D. (1983). *The mediators.* Cambridge, MA: The MIT Press.

Lederach, J. P. (1985). *La regulación del conflicto social: un enfoque práctico.* EE.UU., Comité Central Menonita.

Lederach, J. P. (1996). «Mediación». (Doc. nº. 8). Gernika: Centro de Investigación por la Paz Gernika Gogoratuz.

Lederach, J. P. (1998). *Construyendo la paz. Reconciliación sostenible en sociedades divididas.* Bilbao, Bakeaz, Gernika Gogoratuz.

Lederach, J. P. (2000). *El abecé de la paz y los conflictos*. Madrid, Los libros de la catarata.

Link, D. (1996). «Mediación y comunicación». A J. Gottheil y A. Schiffrin (comps.), *Mediación, una transformación en la cultura* (pp. 135-151). Buenos Aires, Paidós.

Martínez de Murguía, B. (1999). *Mediación y resolución de conflictos. Una guía introductoria*. México, Paidós.

Montville, J. V. (1996). «The healing function in political conflict resolution». En D. Sandole y H. Van der Merwe (comps.), *Conflict resolution theory and practice. Integration and application* (pp. 112-127). Manchester, Manchester University Press.

Moore, C. M. (1997). «¿Por qué mediamos?» En J. P. Folger y T. S. Jones, *Nuevas direcciones en mediación. Investigación y perspectivas comunicacionales* (pp. 265-275). Barcelona, Paidós.

Moore, C. W. (1995). *El proceso de la mediación. Métodos prácticos para la resolución de conflictos.* Barcelona, Granica.

Touzard, H. (1981). *La mediación y la solución de los conflictos.* Barcelona, Herder.

Moore, C. W. (1997). «La comunicación y la influencia del mediador en las intervenciones del manejo del conflicto. Reflexiones de un practicante sobre la teoría y la práctica». En J. P. Folger y T. S. Jones, *Nuevas direcciones en mediación. Investigación y perspectivas comunicacionales* (pp. 285-300). Barcelona, Paidós.

Morin, E. (2000). *La mente bien ordenada*. Barcelona, Seix Barral.

Mounier, E. (1968). *La petita por del segle XX*. Barcelona, Edicions 62.

Oyhanarte, M. (1996). «Los nuevos paradigmas y la mediación». En J. Gottheil y A. Schiffrin (comps.). *Mediación, una transformación en la cultura* (pp. 17-35). Buenos Aires, Paidós.

Petrus, A. (1998). «Concepto de educación social». En A. Petrus (coord.), *Pedagogía social* (pp. 9-39). Barcelona, Ariel Educación.

Pruitt, D. (1981). *Negotiation behavior*. Nueva York, Academic Press.

Pugliese, A. (1999). «¿Cómo resuelven los jóvenes sus conflictos? Del dominio al reconocimiento». En F. Brandoni (comp.), *Mediación escolar. Propuestas, reflexiones y experiencias* (pp. 125-140). Buenos Aires, Paidós.

Riera, J. y Sarrado, J. J. (2000). «Las funciones pedagógico-mediadoras de los medios de comunicación social: Un entorno interdisciplinario e interprofesional crítico». *Pedagogía social, revista interuniversitaria, 5*, 27-58.

Risolía de Alcaro, M. (1996). «Mediación familiar: el mediador y los intereses en juego en la mediación». En J. Gottheil y A. Schiffrin (comps.), *Mediación, una transformación en la cultura* (pp. 115-133). Buenos Aires, Paidós.

Romia, C. (2000). «Més enllà de les paraules». Actas del 1er Simposio de Pacificación y Resolución de conflictos, Barcelona 27 y 28 de abril, pp. 86-87.

Sarrado, J. J., Riera, J. y Boqué, M. C. (2000). «Vers el sentit pedagògic de la mediació.» *Aloma. Revista de Psicologia i Ciències de l'Educació, 6*, 90-108.

Sarrado, J. J. (1998). «La mediación en uno de sus ámbitos de aplicación: la justicia penal juvenil catalana». *Educación Social, 8*, 101-126 (Monográfico: Mediación y Resolución de Conflictos).

Sarrado, J. J. y Riera, J. (2000). «El conflicte com una genuïna oportunitat de reconeixement, revalorització i enfortiment interpersonal». *Revista de Conflictologia, 2*, pp. 26-36.

Schiffrin, A. (1996). «La mediación: aspectos generales». En J. Gottheil y A. Schiffrin (comps.), *Mediación, una transformación en la cultura* (pp. 37-52). Buenos Aires, Paidós.

Schvarstein, L. (1997). Prólogo en M. Suares, *Mediación. Conducción de disputas, comunicación y técnicas* (pp. 21-32). Buenos Aires, Paidós.

Scimecca, J. A. (1991). «Conflict Resolution in the United States: The Emergence of a Profession?». En K. Avruch et al. (comps.), *Conflict Resolution: Cross-cultural Perspectives* (pp. 19-39). Westport, CT, Greenwood Press.

Serrano, S. (2000). *Comprendre la comunicació. El llibre del sexe, la poesia i l'empresa*. Barcelona, Proa.

Shailor, J. C. (2000). «Desarrollo de un enfoque transformador para la mediación: consideraciones teóricas y prácticas». En

D. Fried Schnitman (comp.), *Nuevos paradigmas en la resolución de conflictos. Perspectivas y prácticas* (pp. 185-206). Buenos Aires, Granica.

Six, J. F. (1990). *Le temps des médiateurs*. París, Éditions du Seuil.

Six, J. F. (1997). *Dinámica de la Mediación*. Barcelona, Paidós.

Stutzman, J. y Schrock-Shenk, C. (comps.) (1995). *Mediation and facilitation training manual. Foundations and skills for constructive conflict transformation*. Akron, PA, Mennonite Conciliation Service. (3rd edition).

Suares, M. (1997). *Mediación. Conducción de disputas, comunicación y técnicas*. Barcelona, Paidós Mediación.

Úcar, X. (1999). «Nuestra diversidad creativa». *Perspectiva escolar, 237*, 84-91.

Ury, W. L. (1997). *¡Supere el no! Cómo negociar con personas que adoptan posiciones inflexibles*. Barcelona, Ediciones Gestión 2000.

Ury, W. L. (2000). *Alcanzar la paz. Diez caminos para resolver conflictos en la casa, el trabajo y el mundo*. Buenos Aires, Paidós.

Vecchi, S. E. y Greco, S. (2000). «Diseño reflexivo en la pràctica de la mediación». En D. Fried Schnitman (comp.), *Nuevos paradigmas en la resolución de conflictos. Perspectivas y prácticas* (pp. 235-254). Buenos Aires, Granica.

Verjat, A. (1989). «Gilbert Durand y la ciencia del hombre». En A. Verjat (comp.), *El retorno de Hermes. Hermenéutica y ciencias humanas* (pp. 11-19). Barcelona, Anthropos.

Vinyamata, E. (1998). «La resolución de conflictos: un nuevo horizonte». *Educación Social, 8*, 8-17 (Monográfico: Mediación y Resolución de Conflictos).

Vinyamata Camp, E. (1999). *Manual de prevención y resolución de conflictos*. Barcelona, Ariel Practicum.

Vinyamata Camp, E. (2001). *Conflictología. Teoría y práctica en resolución de conflictos*. Barcelona, Ariel Practicum.

VV. AA. (1997). *La nostra diversitat creativa. Informe de la Comissió Mundial sobre Cultura i Desenvolupament presidida per Javier Pérez de Cuéllar*. Barcelona, Centre Unesco de Catalunya.

Weidenfeld, W. (1999). Prólogo en Peter L. Berger (comp.), *Los límites de la cohesión social. Conflictos y mediación en las sociedades pluralistas*. Barcelona, Galaxia Gutenberg-Círculo de Lectores.
Williams, M. (1999). «The troubling Process of Revising Standards». *Mediation News. Academy of Family Mediators, vol. 18, nº. 2*, 10-11.